BİLİNCİN GİZEMİ

John R. Searle

(d. 1932), Kaliforniya Üniversitesi Felsefe Bölümü'nde (Berkeley) Slusser Kürsüsü Profesörüdür. Wisconsin Üniversitesi'nde başladığı eğitimini Rhodes Bursu ile gittiği Oxford Üniversitesi'nde tamamlamış ve doktorasını da aynı üniversiteden almıştır (1959). Ardından Kaliforniya Üniversitesi'ne geçerek tüm akademik çalışmalarını burada südürmüştür. Dil felsefesi, zihin felsefesi ve toplum felsefesi alanlarına yaptığı önemli katkılardan dolayı kazandığı birçok ödülün yanısıra, dünyanın farklı yerlerinde sırf onun çalışmalarını konu alan çok sayıda konferans düzenlenmiş, kitap ve makale kaleme alınmıştır. Dil, zihin, bilinç ve toplum üzerine yazdığı kitaplardan bazıları: *Speech Acts: An Essay in the Philosophy of Language* (1969); *Intentionality: An Essay in the Philosophy of Mind* (1983); *The Rediscovery of the Mind* (1992); *The Construction of Social Reality* (1995); *Rationality in Action* (2001); *Mind: A Brief Introduction* (2004); *Liberté et Neurobiologie* (2004) ve *Making the Social World: The Structure of Human Civilization* (2010).

BİLİNCİN GİZEMİ

JOHN R. SEARLE

TERCÜME
İLKNUR KARAGÖZ İÇYÜZ

KÜRE YAYINLARI / 206. Kitap
Felsefe ve Nörobilim 4

Dizi Editörü **Eyüp Süzgün**

Bilincin Gizemi

John R. Searle

The Mystery of Consciousness
The New York Review of Books
© NYREV, Inc, 1997

 Türkçe yayım hakları
© Küre Yayınları, 2018

Tercüme **İlknur Karagöz İçyüz**

Redaksiyon **Seda Akbıyık**
        Melike Nur Özdemir
        Merve Aktan Süzgün
        Hakan Vaizoğlu

Yayına Hazırlık **Nermin Tenekeci**

Birinci Basım Nisan 2018

ISBN 978-605-9125-80-2
TC Kültür ve Turizm Bakanlığı
Sertifika no: 15813

Kapak Uygulama **Zeyd Karaaslan**
Tasarım Uygulama **Sibel Yalçın**

Baskı/Cilt Şenyıldız Matbaacılık
Sertifika No: 11964
Gümüşsuyu Cad. Işık San. Sit.
No: 19/C 102
Topkapı/İstanbul
Tel: 0212 483 47 91

KÜRE YAYINLARI

Vefa Cad. No: 48/3
Fatih / İstanbul
Tel 0212 520 66 41-42
Faks 0212 520 74 00
www.kureyayinlari.com
kure@kureyayinlari.com
facebook.com/kureyayinlari
twitter.com/kureyayinlari

Dagmar için

İÇİNDEKİLER

Önsöz

Bilinç çalışmaları açısından entelektüel yaşamımın en heyecan verici ve aynı zamanda en hüsrana uğratıcı dönemi, içinde bulunduğumuz dönemdir. Heyecan verici çünkü bilinç felsefe, psikoloji, bilişsel bilim ve hatta sinirbilim alanlarında bir araştırma konusu olarak tekrar itibar kazandı ve neredeyse merkezi bir hal aldı. Hüsrana uğratıcı çünkü meselenin tamamı, çoktan açıklığa kavuştuğunu düşündüğüm yanılgı ve hatalarla istila edilmeye devam ediyor.

Bu heyecan verici olayların –ve yanılgılardan bazılarının– tartışmalarla örneklendirildiği bu kitap, 1995 ve 1997 yılları arasında *The New York Review of Books*'ta yayınladığım makaleler serisine dayanıyor. Araya giren zaman ve kitabın geniş kapsamı bana, bu orijinal makalelerden bazılarını gözden geçirip geliştirme ve bütün tartışmayı bir bütünlüğe kavuşturmaya çalışma imkanı verdi.

Bu eseri, ele aldığı konularla ilgili geçmişte sürdürülen –ve hâlâ da sürdürülmekte olan– tartışmaların bakış açısıyla gözden geçirdiğimde, tatmin edici bir bilinç açıklamasına ulaşma noktasında önümüzde duran en büyük felsefi engelin, modası geçmiş birtakım kategoriler ile dini ve felsefi geleneğimizden miras aldığımız birtakım önkabullerden vazgeçemeyişimiz olduğu kanaatine vardım. "Zihinsel" ve "fiziksel", "ikicilik" ve "tekçilik", "maddecilik" ve "idealizm" kavramlarının bu halleriyle açık ve sorunsuz olduklarına, meselelerin bu geleneksel terimler üzerinden açıklanması ve çözüme kavuşturulması gerektiğine dair yanlış bir varsayımla yola çıkmış durumdayız. Ayrıca –karmaşık fenomenleri, kendilerini faaliyete geçiren temel mekanizmalar üzerinden açıklayan ve bazı durumlarda bu temel mekanizmalar uğruna o fenomenleri eleyen– "bilimsel indirgeme" kavramının da gayet açık olduğuna ve çok az sorun çıkardığına inanıyoruz. Ardından, kendisini moleküller veya dağlar gibi "fiziksel" fenomenlerle karşılaştırdığımızda, bilincin –uyanık haldeyken sahip olduğumuz sıradan duyarlık [*sentience*] ve farkındalık [*awareness*] durumları ile uyur haldeki rüya görme durumları– oldukça tuhaf göründüğünü fark ediyoruz. Dağlarla ve moleküllerle kıyaslandığında, bilinç "gizemli", "semavi" ve hatta "mistik" duruyor. Bilinç, beynin diğer fiziksel özelliklerine (örneğin, nöron ateşlemelerine) benzer şekilde "fiziksel"miş gibi görünmüyor. Aynı şekilde, katılık ve ısı gibi fiziksel niteliklerde işe yarayan klasik bilimsel analiz türleri tarafından salt fiziksel süreçlere indirgenebilecekmiş gibi de durmuyor.

Birçok filozof, bilince gerçek bir varlık atfettiğimiz takdirde "ikicilik"in bir sürümüne, yani evrende metafiziksel anlamda birbirlerinden farklı "fiziksel" ve "zihinsel" iki fenomenin bulunduğu görüşüne mahkum olacağımıza inanır. Doğrusu, pek çok yazara göre, ikiciliğin tanımı gereği dağlar gibi "fiziksel" fenomenlere ek olarak ağrı gibi "zihinsel" fenomenleri kabul ettiğiniz takdirde "ikici" olursunuz. Fakat geleneksel olarak anlaşıldığı haliyle ikicilik umutsuz bir kuram gibi görünmektedir çünkü, fiziksel olan ile zihinsel olan arasında katı ve kesin bir ayrım yaptıktan sonra, bu ikisi arasındaki ilişkiyi anlaşılır kılamamaktadır. Öyle görünüyor ki ikiciliği kabul etmek, dört yüzyıl harcayarak elde ettiğimiz bilimsel dünya görüşünün tamamından vazgeçmek demektir. O halde, ne yapacağız?

İlerleyen sayfalarda bahsedeceğim filozof David J. Chalmers ve fizikçi Roger Penrose gibi birçok yazar, zorlukları göğüslemiş ve ikiciliği kabul etmiştir. Fakat günümüz felsefesindeki en yaygın eğilim, maddeciliğin doğru olması gerektiği ve bilinci, başka bir şeye indirgemek suretiyle elememiz gerektiği konusunda ısrar etmektir. Daniel C. Dennett, bu duruşu benimseyen filozofların en açık örneğidir. Bilincin indirgenmesinin gerektiği fenomenler için en gözde adaylar, bilgisayar programları ve tamamen "fiziksel" terimlerle tanımlanan beyin durumlarıdır. Ancak, bu kitapta da bahsettiğim gibi, bilinci elemeye kalkışan bu indirgemeci girişimlerin tamamı, yerini almak üzere tasarlandıkları ikicilik kadar umutsuzdur. Hatta, açıklamaları beklenen bilinç kavramının gerçek varlığını inkâr ettikleri için daha kötü durumda oldukları dahi söylenebilir. Bu girişimlerin tamamı acılar ve sevinçler, anılar ve algılar, düşünceler ve hisler ile ruh halleri, pişmanlıklar ve açlıklar gibi açıkça sahip olduğumuz içsel niteliksel öznel durumları reddetmekle neticelenirler.

Bana göre indirgemecilik ve maddecilikteki bu ısrar, bilincin kendine özgü gerçek varlığını kabul ettiğimizde bir şekilde ikiciliği onaylayıp bilimsel dünya görüşünü reddedeceğimiz şeklindeki yanlış bir varsayımdan kaynaklanıyor. Eğer bu kitaba başından sonuna kadar hâkim olan bir fikir varsa o da bilincin doğal, biyolojik bir fenomen olduğudur. Sindirim, büyüme ya da fotosentez kadar bilinç de biyolojik hayatımızın bir parçasıdır.

"Fiziksel" ile "zihinsel"i karşılıklı olarak birbirini dışlayan iki ayrı kategoriye dönüştüren felsefi geleneğimiz, bilincin ve diğer zihinsel fenomenlerin doğal, biyolojik karakterine karşı bizi körleştiriyor. Çözüm yolu ise, ikicilik ile maddeciliğin ikisini birden reddetmek ve bilincin hem niteliksel, öznel, zihinsel bir fenomen hem de fiziksel dünyanın bir parçası olduğunu kabul etmektir. Bir ağrı hissetmek veya ekonomik durum hakkında endişelenmek gibi herhangi bir bilinçli durum, niteliksel olarak o durumu yaşıyor olma hissini içinde barındırması yönüyle niteliksel ve yalnızca insanlar ya da diğer "özne" türleri tarafından deneyimlendiği takdirde var olması bakımından da özneldir. Bilinç, fiziksel ve zihinsel şeklindeki geleneksel kategorilerin ikisine de tam olarak uymayan doğal bir biyolojik fenomendir. Beyindeki alt-düzey mikro-süreçlerin neden olduğu bilinç, beynin üst makro düzeylerdeki bir özelliğidir. Bu "biyolojik doğalcılık"ı [*biological naturalism*] —ben bu şekilde adlandırmayı tercih ediyorum— kabul etmek için öncelikle geleneksel kategorileri terk etmek zorundayız.

Korkarım ki gelecek nesiller, bilincin insan olarak varoluşumuzu anlamlandırmada oynadığı merkezi rolü görmemizin yirminci yüzyılda neden bu kadar uzun sürdüğünü merak edecekler.

Niçin bunca zaman bilincin bir şey ifade etmediğini, önemsiz olduğunu düşündük? Buradaki paradoks, bir kimsenin herhangi bir şeyi önemsemesini mümkün kılan koşulun bilinç olmasıdır. Bir şeyin önemli olması veya önem taşıması ancak ve ancak bilinçli failler için söz konusu olabilir.

Bu kitabı yazmaktaki amacım, bilinç sorunuyla ilgili kayda değer ve etkili görüşlerin bazılarını değerlendirmek ve böylelikle kendi görüşlerimi sunup gerekçelendirmeye çalışmaktır. Burada incelenmek üzere seçilen kitapların, konu üzerine yazılmış "en iyi" kitaplar olduğunu söylemiyorum. Aksine, onların farklı düzeylerdeki nitelikleriyle ilgili görüşlerim, ilerleyen bölümlerde oldukça açık bir biçimde ortaya çıkacaktır. Bana sorarsanız, nitelikleri açısından bu kitaplar, 'harikulade'den 'korkunç'a kadar uzanan bir aralıkta çeşitlilik göstermekte. Kitaplardan her birinin seçilmesinde farklı bir faktör rol oynadı: Bunlardan bazıları mükemmel; diğer bir kısmı ise etkileyici, örnek gösteril-meye uygun, fikir verici veya mevcut kafa karışıklığını belirtir niteliktedir. Hiçbiri bilinç sorununa kesin bir çözüm sunmaz, bununla birlikte bazıları çözüme ulaştıracak yola işaret eder. Beynin bilinci nasıl oluşturduğunu biyolojik ayrıntılarıyla kav-radığımız zaman bilinci de anlamış olacağız. Beyin, bilinçli durum ve süreçlerimize tam olarak nasıl neden oluyor? Bu durum ve süreçler beynimizin ve hayatımızın genelinde tam ola-rak nasıl iş görüyor?

Kendi görüşlerimi ilk ve son bölümlerde takdim ediyorum. Diğer bölümlerin her biri ise ayrı bir yazara ayrılmıştır. Bölümlerden üçünde (4, 5 ve 6. bölümlerde) ekler bulunuyor. 4. Bölüm'de oldukça teknik bazı maddeleri ana metinden ayrı tutmak iste-dim. 5 ve 6. bölümlerin ayrıldığı yazarlar ise, kitaplarıyla ilgili değerlendirmelerime karşılık verdiler. Onların verdiği cevaplar ve benim bunlara karşılık yazdıklarım ilgili bölümlere ek olarak yeniden basıldı.

Bu kitabın yazılış sürecindeki yardım ve tavsiyeleri için pek çok insana teşekkür borçluyum. İlki ve belki de en önemlisi, değer-lendirilen altı yazarın beşi (Francis Crick, Gerald Edelman, Roger Penrose, Daniel Dennett ve David Chalmers) yorumlarıma çeşitli şekillerde karşılık verdiler. Chalmers ve Penrose'a, eserleri için kaleme aldığım bu değerlendirmelerin önceki sürümlerinde görüşlerini yanlış anladığımı düşündüren kısımları işaret ettikleri için ayrıca minnettarım. Dennett ve Chalmers'ın, ilk değerlendirmelerimle ilgili yayımlanmış cevapları ve bunlara verdiğim karşılıklar tam ve asıl biçimleriyle burada mevcuttur.

Birçok meslektaşım bu materyalin bazı kısımlarını okudular ve faydalı yorumlarda bulundular. Özellikle Ned Block'a müteşekkirim. Mack Stanley ve William Craig başta olmak üzere birçok matematiksel mantıkçının, Gödel'in teoremini ve Penrose'un bu teoremi kullanış biçimini anlamamda büyük yardımları dokundu. *The New York Review*'den Robert Silvers karşılaştığım en iyi editördü; onun açık anlatım konusundaki acımasız ve amansız ısrarından azami derecede faydalandım. Kendisinden aldığım en büyük ders, anlaşılması güç meseleleri alanın uzmanı olmayanlara sunmanın, entelektüel karmaşıklığı feda etmeden de mümkün olduğunu öğrenmemdi. Araştırma asistanım Jennifer Hudin'e ve hepsinin ötesinde, kitabın da kendisine adandığı eşim Dagmar Searle'e en içten teşekkürlerimi sunuyorum.

1.

Biyolojik Bir Sorun Olarak Bilinç

Biyolojik bilimlerdeki en önemli sorun, birçok bilim insanı tarafından oldukça yakın bir zamana kadar bilimsel araştırma için hiç de uygun bir konu olarak görülmüyordu. Bu sorun, "beyindeki nörobiyolojik süreçler bilince tam olarak nasıl neden olurlar?" şeklinde ifade edilebilir. Bizi etkileyen devasa çeşitlilikteki uyaranlar (örneğin bir şarabı tadarken, gökyüzüne bakarken, bir gülü koklarken veya bir konseri dinlerken) bir dizi nörobiyolojik süreci tetikler. Bu nörobiyolojik süreçler nihayetinde birleşik, düzenli, tutarlı, öznel içsel farkındalık veya duyarlık durumlarına neden olur. Peki uyaranın reseptörlerimize hücum etmesi ile bilinç deneyimi arasında gerçekleşen şey tam olarak nedir ve bu ara süreçler bilinçli durumlara nasıl neden olur? Dahası, bu sorun yalnızca bahsettiğim algısal durumlarla sınırlı kalmaz; kayınvalidenizin telefon numarasını hatırlamak ya da gelir vergileri hakkında endişelenmek gibi içsel süreçleri veya istemli eylemlerin oluşturduğu deneyimleri de kapsar. Ağrı, gıdıklanma veya kaşıntı hissinden —en çok hoşunuza gideni siz seçin— geç kapitalizmin tahakkümü altındaki endüstri-sonrası insanın kaygısını taşımaya ya da karların üstünde kayak yapma coşkusunu yaşamaya kadar, bilinçli yaşamımızdaki her şeye beyin süreçlerinin neden olması şaşırtıcı bir olgudur. Bildiğimiz kadarıyla söz konusu süreçler sinapsların, nöronların, nöron kolonlarının ve hücre topluluklarının mikro-düzeyinde gerçekleşir. Tüm bilinçli yaşamımıza bu alt-düzey süreçler neden oluyor, fakat onların nasıl işlediğine dair neredeyse hiçbir fikrimiz yok.

Konunun uzmanlarının niçin işe koyulup sistemin işleyişini açığa çıkarmadıklarını sorabilirsiniz. Bunu yapmak, kanserin nedenlerini bulmaktan neden daha zor olsun ki? Fakat beyin bilimlerinin ortaya koyduğu sorunların çözümünü daha da zorlaştıran belli bazı özellikler mevcuttur. Bu zorluklardan bazıları uygulama düzeyinde karşımıza çıkar: Mevcut tahminlere göre, insan beyninde 100 milyarın üzerinde nöron bulunur ve her bir nöronun diğer nöronlarla yaptığı sinaptik bağlantıların sayısı birkaç yüzden on binlere kadar ulaşır. Muazzam derecede karmaşık olan bu yapının tamamı futbol topundan daha küçük bir hacme sığdırılmıştır. Dahası, beyindeki mikro-unsurları, bunlara zarar vermeden ya da organizmayı öldürmeden çalışmak oldukça zordur. Uygulamadaki güçlüklere ek olarak, doğru soruları sormayı ve cevaplandırmayı zorlaştıran birtakım felsefi ve kuramsal engeller ile kafa karışıklıkları da mevcuttur. Örneğin, sağduyulu bir şekilde yönelttiğim "Beyin süreçleri bilince nasıl neden olur?" sorusu, bünyesinde hâlihazırda birçok felsefi sorunu barındırır. Filozofların birçoğu ve hatta bazı bilim insanları, beyin ile bilinç arasındaki ilişkinin nedensel olamayacağını düşünürler. Çünkü onlara göre bu tür bir nedensel ilişki, farklı gerekçelerle reddetmek istedikleri beyin ve bilinç ikiciliğinin bazı sürümlerine işaret eder.

Bir bütün olarak bilinç meselesi ile bilinç ve beyin ilişkisi, antik Yunanlılar döneminden son zamanların hesaplamalı biliş modellerine kadar hep karmaşık olagelmiştir. Ayrıca meselenin tarihindeki hataların en azından bir kısmı, hem yakın zamanlarda yapılan hem de burada tartışacağım araştırmalarda tekrarlanmaya devam etmiştir. En son çalışmaları tartışmaya geçmeden evvel, bazı meseleleri netleştirerek ve bana göre son derece kötü olan bazı tarihsel hataları düzelterek tartışmaya zemin hazırlamak istiyorum.

İlk mesele hızlı bir şekilde ele alınabilir. Zor olduğu düşünülen ama benim çok da önemli görmediğim bir sorun var: "bilinç"i tanımlama sorunu. Her ne kadar onu tanımlamanın zor olduğu düşünülse de, bir fenomenin temelindeki özü analiz etmeyi amaçlayan analitik tanımlama ile yalnızca hakkında konuştuğumuz şeyi belirleyen sağduyuya dayalı tanımlamayı birbirinden ayırdığımız takdirde, bilinç terimine sağduyuya dayalı bir tanım getirmek bence hiç de zor değil: "Bilinç", alışılageldik şekliyle, rüyasız bir uykudan uyanmamızla başlayan ve biz tekrar uykuya dalana, komaya girene, ölene ya da farklı bir biçimde "bilinçdışı" olana kadar devam eden duyarlık ve farkındalık durumlarına işaret eder. Tam uyanıklık durumlarından çok farklı olmalarına rağmen, rüyalar da bilincin bir biçimidir. Tanımladığımız bu haliyle bilinç, kapalı ve açık durumlar arasında geçiş yapar. Buna göre bir sistem ya bilinçlidir ya da değildir, fakat bilinç alanı içerisinde sersemlikten tam uyanıklığa uzanan yoğunluk dereceleri de mevcuttur. Bu şekilde tanımlanan bilinç, bir içsel niteliksel birinci-şahıs fenomenidir. İnsanların ve evrimsel düzeyi yüksek hayvanların bilinçli oldukları açık olsa da, bilincin türoluşsal ölçekte [*phylogenetic scale*] ne kadar aşağıya uzandığını bilmiyoruz. Örneğin pireler bilinçli midir? Nörobiyolojik bilgi birikiminin şu anki durumu itibarıyla, bu tür sorular üzerine kafa yormanın bir yararı yoktur. Ayrım noktasını belirlemeye yetecek biyoloji bilgisine henüz sahip değiliz. Ayrıca, genel "bilinç" fenomeni, özel bir durum olan "öz-bilinç" [*self-consciousness*] ile karıştırılmamalıdır. Ağrı hissedilmesi örneğinde olduğu gibi bilinçli durumların çoğu, öz-bilinci içermek zorunda değildir. Bazı özel durumlarda kişi, o bilinçli durumda olan kendisinin bilincinde olur. Örneğin bir insan, aşırı derecede endişelenmeye olan yatkınlığı hakkında endişelenirken, müzmin bir evhamlı kimse olarak kendisinin bilincine varabilir; ama bu tür bir bilinç, zorunlu olarak öz-bilince ya da öz-farkındalığa [*self-awareness*] işaret etmez.

İlk önemli sorunun kökeni düşünce tarihine dayanır. On yedinci yüzyılda Descartes ve Galileo, sınırları bilim tarafından çizilen fiziksel gerçeklik ile bilimsel araştırma kapsamının dışında sayılan ruhun zihinsel gerçekliği arasında keskin bir ayrım yaptılar. Bilinçli zihin ve bilinçsiz madde arasındaki bu ayrım, zamanın bilimsel araştırmaları açısından oldukça faydalıydı. Çünkü hem bilim insanlarının dini otoritelerin baskısından kurtulmasına yardımcı oldu, hem de fiziksel dünyanın matematiksel olarak ele alınmasını —bunu zihne uygulamak görünüşe göre mümkün değildi— sağladı. Fakat ikicilik, bilinci ve diğer zihinsel fenomenleri olağan fiziksel dünyanın ve dolayısıyla doğa bilimine ait kapsamın dışına yerleştiriyor gibi göründüğü için yirminci yüzyılda bir engele dönüştü. Bence ikiciliği terk etmeli ve bilincin büyüme, sindirim veya safra salgılamayla kıyaslanabilecek olağan, biyolojik bir fenomen olduğu şeklindeki varsayımla yola çıkmalıyız. Ancak, bilim sahasında çalışan birçok insan ikici olmayı sürdürmektedir ve bilincin olağan, biyolojik gerçekliğin bir parçası olduğunu gösteren nedensel bir açıklama sunabileceğimize inanmamaktadır. Bu bilim insanları içinde belki de en ünlüsü, Tanrı'nın doğmamış fetüse yaklaşık üç haftalıkken ruh verdiğine inanan Nobel ödüllü nörobiyolog Sör John Eccles'tir.

Bu kitapta görüşlerini tartıştığım bilim insanlarından biri olan matematikçi Roger Penrose, birleşik bir dünyada yaşamadığımızı ve fiziksel dünyaya "yerleşmiş" ayrı bir zihin dünyasının bulunduğunu düşünür. Bu anlamda kendisinin bir ikici olduğunu söyleyebiliriz. Aslında Penrose, üç dünyada birden yaşadığımızı düşünür: fiziksel dünya, zihinsel dünya ve sayılar ile diğer matematiksel varlıklar gibi soyut nesnelerin dünyası. İlerleyen bölümlerde bu konudan daha geniş bir biçimde bahsedeceğim.

Fakat bilinci —benim de yapmamız gerektiğini öne sürdüğüm gibi— biyolojik bir fenomen ve bu nedenle de sıradan fiziksel dünyanın bir parçası olarak ele alsak dahi, yine de kaçınmamız gereken başka birçok hata mevcuttur. Bunlardan birine az önce değindik: Eğer beyin süreçleri bilince neden oluyorsa, o zaman bu birçok insana sanki iki farklı şeyin —'nedenler' olarak beyin süreçleri ile 'sonuçlar' olarak bilinçli durumları— bulunması gerektiğini düşündürecektir ki bu da görünüşe göre ikiciliğe işaret eder. İkinci hata ise, kusurlu bir nedenoluş [*causation*] fikrinden kaynaklanmaktadır. Mevcut geçerli nedenoluş kuramlarımızda bizler, genellikle, tüm nedensel ilişkilerin zamanda art arda sıralanmış birbirinden ayrı olaylar arasında olması gerektiğini varsayarız. Silahla ateş etmenin kurbanın ölümüne neden olması buna örnek olarak gösterilebilir.

Şüphesiz, neden-sonuç ilişkilerinin birçoğu bu şekildedir; fakat hepsi için aynı şey söylenemez. Etrafınızdaki nesnelere bir bakın. Örneğin, masanın kilime uyguladığı basınç olgusunun nedensel açıklamasını düşünün. Bu, yerçekimi kuvvetiyle açıklanır ama yerçekimi bir olay değildir. Ya da masanın katılığı üzerine düşünün. Bu da, nedensel olarak, masayı oluşturan moleküllerin davranışıyla açıklanır. Fakat masanın katılığı ayrı bir olay değildir; yalnızca onun bir özelliğidir. Bu tür olay-dışı nedenoluş örnekleri, mevcut bilinç durumum ile bu durumun zemininde yer alan ve ona neden olan nörobiyolojik süreçler arasındaki ilişkiyi anlama yolunda bize uygun modeller sunar. Beyindeki alt-düzey süreçler mevcut bilinç durumumu ortaya çıkarır, fakat bu bilinç durumu beynimden ayrı bir varlık değildir; tersine, o anda beynimin sahip olduğu bir özelliktir sadece. Yeri gelmişken söyleyelim, "Beyin süreçleri bilince neden olur fakat bilincin kendisi, beyn*in bir özelliği*dir" şeklindeki bu analiz, geleneksel zihin-beden sorunu için ileri sürülmüş bir çözümdür. Bu çözüm, ikicilik ve maddecilikten ya da en azından bunların geleneksel algılanış biçimlerinden kaçınmanın bir yoludur.

Mevcut entelektüel durumumuzun üçüncü açmazı ise, beyin süreçlerinin –ki bunlar alenen gözlemlenebilir nesnel fenomenlerdir– nasıl olup da bir anlamda sahibine "özel" olan içsel, niteliksel farkındalık ya da duyarlık durumları kadar tuhaf herhangi bir şeye neden olduğu hakkında en ufak bir fikrimizin olmayışıdır. Ağrım belirli bir niteliksel hisse sahiptir ve bu hisse, sizin erişemeyeceğiniz bir şekilde ben erişebilirim. Peki bu özel, öznel, niteliksel fenomenler nasıl olur da sinapslarda geçekleşen elektrokimyasal nöron ateşlemeleri gibi sıradan fiziksel süreçlerden kaynaklan*abilir*? Bilinçli durumun her türü için özel bir niteliksel his mevcuttur ve bizler bu öznel hisleri, nesnel gerçeklikten oluşacak şekilde genel dünya görüşümüz içine nasıl yerleştireceğimiz hususunda fikir birliğine varmış değiliz. Bu türden durum ve olaylar bazen "nitelceler" [*qualia*], onların bizim genel dünya görüşümüz içinde kalarak açıklanması sorunu da "nitelceler sorunu" olarak adlandırılır. Burada çalışmalarını ele aldığım yazarların öne sürdüğü bilinç açıklamalarındaki ilginç farklılıklar arasında, nitelceler sorununu kabul etme –veya bazen de etmeme– noktasında tuttukları birbirinden farklı yollar bulunur. Ben kendim, "nitelceler" ile onun tekil hali olan "nitelce" [*quale*] kelimelerini kullanmakta tereddüt ediyorum. Çünkü onları kullanınca, sanki birbirinden ayrı iki fenomen –bilinç ve nitelceler– varmış izlenimi veriyor. Fakat bütün bilinçli fenomenlerin niteliksel, öznel deneyimler ve dolayısıyla da nitelceler olduğunda hiç kuşku yok. Bilinç ve nitelceler şeklinde iki tür fenomen yoktur. Yalnızca, bir dizi niteliksel durumdan oluşan "bilinç" vardır.

Dördüncü sorun ise, zihin için kullanılan bilgisayar metaforunu kelimesi kelimesine ele alma konusundaki ısrardır. Bu, günümüzün entelektüel iklimine özgü bir durumdur. Hâlâ pek çok insan beynin dijital bir bilgisayar ve bilinçli zihnin de bir bilgisayar programı olduğu düşüncesini taşıyor. Neyse ki bu görüş on yıl öncesine kıyasla şimdilerde daha az yaygın. Bu görüşe göre, donanım için yazılım neyse, beyin için de zihin odur. Hesaplamalı zihin kuramının farklı çeşitleri bulunmaktadır. Biraz evvel belirttiğim "Zihin sadece bir bilgisayar programıdır" görüşü, bunların en güçlüsüdür. Ben bu görüşe Güçlü Yapay Zeka [*Strong Artificial Intelligence*] (kısaca Güçlü YZ) diyorum. "Bilgisayar, hava durumu örüntüleri ya da ekonomideki para akışı gibi açıkça tanımlayabildiğimiz herhangi bir şeyin simülasyonunda olduğu gibi zihnin simülasyonunda da kullanılabilecek uygun bir araçtır" şeklinde ifade edilebilecek diğer görüşten ayırt etmek için ona bu adı verdim. Daha ihtiyatlı olan bu ikinci yaklaşımı ise Zayıf YZ olarak adlandırdım.

Güçlü YZ görüşünü çürütmek kolaydır, ki ben de on beş yıldan uzun bir süre önce *The New York Review of Books*'ta ve başka birkaç yerde bunu yaptım.[1] Bilgisayar, biçimsel sembolleri işleyen bir aygıt olarak tanımlanır. Bunlar genellikle 0'lar ve 1'ler şeklinde tanımlanır, fakat eski sembollerden herhangi biri de aynı işi görecektir. Modern hesaplama kavramının mucidi Alan Turing, hesaplamalı makinenin bant tarayıcı başlığa sahip bir aygıt olarak düşünülebileceğini söyleyerek bu hususu ifade etmiştir. Bandın üzerinde 0'lar ve 1'ler basılıdır. Makine tam dört işlemi yerine getirebilir: Bandı bir kare sağa kaydırabilir, bandı bir kare sola kaydırabilir, 0'ı silip yerine 1 yazabilir, 1'i silip yerine 0 yazabilir. Bu işlemleri "K koşulu altında E eylemini sergile" şeklinde işleyen bir dizi kurala göre uygular. Bu kurallar dizisi "program" olarak adlandırılır. Modern bilgisayarlar, bilgiyi 0'lar ve 1'lerden oluşan ikili sistemle kodlayarak, kodlanmış bilgiyi elektriksel akımlara dönüştürerek ve ardından, program kuralları uyarınca bu bilgiyi işleyerek çalışır.

Böylesi sınırlı bir mekanizmayla bu kadar çok şeyi yapabilmiş olmamız yirminci yüzyılın en muazzam entelektüel başarılarından biridir. Fakat, mevcut hedeflerimiz açısından önemli olan, bu mekanizmanın tümüyle sembollerin işlenmesine dayanarak tanımlanmasıdır. Bu şekilde tanımlanan hesaplama, salt bir sentaktik işlemler dizisidir. Öyle ki, programın uygulanması bakımından sembollerin tek önemli özelliği, biçimsel veya sentaktik olmalarıdır. Fakat bizler sahip olduğumuz deneyimlerden biliyoruz ki zihinde, biçimsel sembollerin işlenmesinden çok daha fazlası meydana gelir; zihnin içerikleri vardır. Örneğin, İngilizce düşündüğümüzde, zihnimizden geçen İngilizce kelimeler sadece yorum-

---

1 "The Myth of the Computer", *The New York Review of Books,* 29 Nisan 1982, s. 3-6; "Minds, Brains, and Programs", *Behavioral and Brain Sciences,* c. 3 (1980), s. 417-457.

lanmamış biçimsel semboller değildir; bilakis bu kelimelerin ne anlama geldiklerini biliriz. Bizim için kelimelerin bir anlamı veya semantiği vardır. Zihin yalnızca bir bilgisayar programı olamaz çünkü bilgisayar programındaki biçimsel semboller, gerçek zihinlerde oluşan semantik içeriğin varlığını temin etmek için yeterli değildirler.

Bu noktayı basit bir düşünce deneyiyle örneklendirdim: Anlamadığınız bir dilde sorulan soruları cevaplamak için bir programdaki adımları uyguladığınızı hayal edin. Ben Çince anlamıyorum, dolayısıyla Çince sembollerle dolu birçok kutunun (veritabanı) bulunduğu bir odada kilitli kaldığımı hayal ediyorum; bana yollanan bir grup Çince sembolü (Çince sorular) alıyorum ve bir kural kitabında (program) ne yapmam gerektiğine bakıyorum. Semboller üzerinde kurallara uygun birtakım işlemler gerçekleştiriyorum (diğer bir deyişle, programdaki adımları takip ediyorum) ve dışarıdakilere küçük bir semboller grubunu (soruların cevapları) geri veriyorum. Bu durumda ben Çince sorulara cevap veren bir programı yürüten bilgisayarım, fakat yine de tek kelime Çince anlamıyorum. Buradaki mesele şu: *Eğer ben, Çinceyi anlamaya yönelik bir bilgisayar programını uygulayarak Çinceyi anlayamıyorsam, o zaman diğer hiçbir dijital bilgisayar da bunu bu yolla başaramaz; çünkü hiçbir dijital bilgisayar bende olmayan herhangi bir şeye sahip değil.*

Basit ve kesin olduğu halde defalarca tekrar etmek zorunda kaldığım için mahcup olduğum bu argüman üzerine, yayımladığı tarihten bu yana herhalde yüzü aşkın eleştiri yayımlanmıştır. Bu eleştirilerden bir kısmına, Daniel Dennett'ın burada ele alınan kitabı *Consciousness Explained*'de rastlayabilirsiniz. Çince Odası Argümanı [*The Chinese Room Argument*] olarak adlandırılan bu düşünce deneyi, üç aşamalı basit bir yapıya sahiptir:

1. Programlar tümüyle sentaktiktir.

2. Zihinlerin semantiği vardır.

3. Sentaks, ne semantiğin kendisidir ne de tek başına semantik için yeterlidir.

Bu nedenle, programlar zihin değildir. Q.E.D*

---

* *Q.E.D.*: Latince "quod erat demonstrandum" ifadesinin kısaltılmış şekli. Kesin bir ispatın sonunda kullanılır ve "İspatlanmıştır" ya da "Gösterilmek istenen şey de buydu" anlamına gelir. (Çev.)

Bu basamakların en açık ve doğal haliyle anlaşılmasını istiyorum. Aşama 1, yalnızca Turing tanımlarının asli özelliğini açık bir şekilde ifade eder: Yazılmış olan program tümüyle sentaktik öğelerle ilgili kurallara dayalıdır. Bu kurallar sembolleri işlemek içindir ve uygulanan program veya çalışmakta olan program, bütünüyle bu sentaktik işlemelere dayanır. Programı uygulayan aracının fiziksel özelliklerinin –yani önümde duran bilgisayarın fiziksel-elektriksel-kimyasal niteliklerinin– hesaplamayla bir ilgisi yoktur. Makinenin sahip olması gereken tek fiziksel koşul, programdaki adımları sürdürebilecek derecede kararlı ve verimli olmasıdır. Günümüzde bu amaçla silikondan yapılmış çipler kullanıyoruz; ancak silikonun fizik ve kimyası ile bilgisayar programının soyut biçimsel nitelikleri arasında herhangi bir zorunlu ilişki bulunmuyor.

Aşama 2, insanın düşünme eylemiyle ilgili hepimizin bildiği bir şeyi tekrar eder sadece: Kelimeler veya diğer sembollerle düşündüğümüzde, o kelime ve sembollerin ne anlama geldiğini bilmek zorundayız. Bu yüzden, İngilizce düşünebilirken Çince düşünemiyorum. Zihnim, içinden geçen yorumlanmamış biçimsel sembollerden daha fazlasına, zihinsel veya semantik içeriklere sahip.

Aşama 3, Çince Odası düşünce deneyinin örneklendirerek açıkladığı genel ilkeyi ortaya koyar: Biçimsel sembollerin işlenmesi, ne kendi içinde ve kendi başına semantik içerik oluşturabilecek bir özelliğe sahiptir ne de semantik içeriklerin varlığını temin eder. Sistemin, gerçekten anlayan bir kişinin davranışlarını ne kadar iyi taklit ettiğinin veya sembol işlenmelerinin ne kadar karmaşık olduğunun bir önemi yoktur. Salt sentaktik süreçlerden semantik elde edemezsiniz.

Bahsedilen argümanı çürütmek için bu üç öncülden birinin yanlış olduğunu göstermeniz gerekir ki bu da pek mümkün değil.

The New York Review of Books'a gelen pek çok mektup, argümana dair yanlış anlaşılmaları açığa çıkarmış oldu. Bazı insanlar benim "makinelerin düşünemeyeceğini" hatta "bilgisayarların düşünemeyeceğini" ispatlamaya çalıştığımı zannetti. Bunların ikisi de yanlış anlaşılmadan ibaret. Beyin bir makinedir, biyolojik bir makinedir ve düşünebilir. Buradan hareketle, en azından bazı makineler düşünebilir diyebiliriz ve bildiğimiz kadarıyla, düşünme eylemini gerçekleştiren yapay beyinler inşa etmek mümkün olabilir. Dahası, insan beyni bazen hesaplama yapar. Örneğin 2+2 işlemini gerçekleştirir ve 4 sonucunu elde eder. Öyleyse, bilgisayar tanımlarından birine göre, beyin bir bilgisayardır çünkü hesaplama yapmaktadır. Dolayısıyla bazı bilgisayarlar, örneğin sizin beyniniz ve benim beynim, düşünebilir.

Diğer bir yanlış anlaşılma ise, fiziksel bir bilgisayarda bilincin bir "beliren nitelik" [*emergent property*] olarak bulunabileceğini inkâr ettiğimin sanılmasıdır. Neticede beyinler, bir beliren nitelik olarak bilinç sahibi olabiliyorsa diğer makine türleri neden sahip olamasın? Fakat Güçlü YZ, bilgisayar donanımlarının beliren nitelikler üretme kapasiteleriyle ilgilenmez. Piyasadaki herhangi bir bilgisayarda beliren nitelikerin her türlüsü mevcuttur. Benim bilgisayarım dışarıya ısı veriyor, uğulduyor, belirli programlara özgü cızırtı ve çatırtı sesleri çıkarabiliyor. Bu özelliklerin Güçlü YZ ile hiçbir ilgisi yoktur. Güçlü YZ, belli donanım tiplerinin, tıpkı dışarıya ısı yayar gibi zihinsel durumları açığa çıkardığını veya donanıma ait niteliklerin o sistemde zihinsel durumlara neden olduğunu iddia etmez. Aksine, Güçlü YZ, doğru program uygulandığı sürece *herhangi bir donanım*ın zihinsel durumların kurucusu [*constitutive*] olduğunu iddia eder. Tekrar edecek olursak, Güçlü YZ'nin savunduğu tez, bir bilgisayarın beliren bir nitelik olarak zihinsel durumları "açığa çıkarabileceği" [*give off*] veya onlara sahip olabileceği değil, daha ziyade, *uygulanan programın bizzat kendisinin bir zihne sahip olmanın kurucusu olduğudur. Uygulanan programın bizzat kendisi, zihinsel yaşamı temin eder.* İşte Çince Odası Argümanı'nın reddettiği şey de bu tezdir. Bu reddediş bize, programın bütünüyle sentaktik bir biçimde *tanımlandığını* ve tek başına sentaksın, zihinsel semantik içeriğin varlığını temin etmek için yeterli olmadığını hatırlatır.

Bu fiziksel bilgisayarın bilinçli olmadığına dair sunduğum *a priori* ispatta, bu sandalyenin bilinçli olmadığına dair sunduğum bir ispattan daha fazlası yoktur. Biyolojik açıdan bakıldığında, bilinçli olabilecekleri fikrini tamamen olanaksız görüyorum. Ama her halükarda bunun, silikonun veya diğer fiziksel maddelerin beliren niteliklerini değil de programları konu edinen Güçlü YZ ile herhangi bir alakası yoktur.

Bana öyle görünüyor ki Çince Odası Argümanı, Güçlü YZ'ye —en azından onun yanlış olduğunu kabullenmekle— çok fazla ödün vermiştir. Şimdilerde bu kuramın tutarsız olduğunu düşünüyorum, nedenini de açıklayayım: Şu anda bu cümleleri yazmakta olduğum makineye dair hangi olgu, onun işlemlerini sentaktik veya sembolik yapar? Makinenin fiziksel yapısına bakıldığında, sadece çok karmaşık bir elektronik devre görülür. Bu elektriksel uyarıları sembolik yapan olgu ile bir kitabın sayfalarındaki mürekkep izlerini sembollere dönüştüren olgu aynı türdendir: Bu sistemleri biz tasarlar, programlar, yayınlar ve üretiriz; böylece bunları sembol olarak ele alabilir ve kullanabiliriz. Kısacası sentaks, sistemin fiziğine içkin değildir; yalnızca onu kullanan kişide anlamını bulur. Hesaplama –bilinçli özneler tarafından gerçekten yapıldığı birkaç durum (örneğin, 2+2=4 işlemi) dışında– tıpkı sindirim ve fotosentez gibi doğaya içkin bir süreç değildir. Hesaplamanın varlığı, fiziksel olana hesaplamalı bir yorum getiren özneye bağlıdır. Sonuç olarak, hesaplama doğaya içkin değildir, ama gözlemciye ya da kullanıcıya bağlıdır.

Bu önemli noktayı tekrar etmekte fayda var. Doğa bilimleri umumiyetle doğanın kendisine içkin ya da varoluşları bir başkasının –gözlemcinin– düşüncelerinden bağımsız özellikleriyle uğraşır. Kütle, fotosentez, elektrik yükü ve mitoz bölünme bunlara örnek gösterilebilir. Sosyal bilimler ise, genellikle, varoluşlarını insanların onları nasıl işlediğine, kullandığına veya onlar hakkında ne düşündüğüne dayandıran, gözlemciye-bağımlı [*observer-dependent*] ya da gözlemciye-bağlı [*observer-relative*] özelliklerle uğraşır. Para, mülkiyet veya evlilik bunlara örnek gösterilebilir. Örneğin, bir parça kâğıt, insanların onun para olduğunu düşünmesiyle "para" olur. Bu nesnenin selüloz lifleri içeriyor olması gözlemciden-bağımsızdır [*observer-independent*], fakat yirmi dolarlık bir banknot olması gözlemciye-bağlıdır. Önünüzdeki kâğıt parçasını okurken, belli mürekkep izlerini görüyorsunuz. Mürekkep izlerinin kimyasal bileşimi onlara içkindir, ama bu izlerin İngilizce kelimeler, cümleler ya da başka türden birer sembol olmaları gözlemciye-bağlıdır. Mevcut bilinç durumum, başka birinin ne düşündüğünden bağımsız bir şekilde bilinçli olmam anlamında, bana içkindir.

Peki, hesaplama işlemi söz konusu olduğunda durum nasıldır? Hesaplama gözlemciye-bağlı mıdır yoksa gözlemciden-bağımsız mıdır? Bilinçli insanoğlunun gerçekten bilinçli bir şekilde hesaplama yaptığı sınırlı sayıda durum vardır. İnsanların 2 ile 2'yi toplayarak 4 sonucunu elde ettikleri hesaplama bunun basit bir örneğidir. Bu türden durumlar, gerçekten hesaplama yapıyor olmak için bir dış gözlemcinin bunları işlemesine veya düşünmesine gerek olmadığı anlamında, açıkça gözlemci-den-bağımsızdır. Peki, ya piyasadaki bilgisayarlar? Örneğin önümde du-ran bilgisayar için ne söyleyebiliriz? Fizik ve kimyanın hangi olgusu bu elektriksel uyarıları hesaplama sembollerine dönüştürür? Aslında hiçbir olgu bunu yapamaz. "Sembol", "sentaks" ve "hesaplama" gibi kelimeler "tektonik tabaka", "elektron" ya da "bilinç" gibi doğaya içkin özelliklere verilmiş adlar değildir. Elektriksel uyarılar gözlemciden-bağımsızdır; fakat hesaplamalı yorum gözlemcilere, kullanıcılara, programcılara vs. bağlıdır. Hesaplamalı yorumun gözlemciye-bağlı olduğunu söylemek, onun rasgele ya da değişken olduğu anlamına gelmez. İstenilen düzeyde bir hesaplamalı yorumu gerçekleştirebilecek elektrikli makineyi tasar-lamak ve üretmek için büyük bir emek ve para harcamak gerekir.

Bu tartışmamızın neticesi, "Beyin bir dijital bilgisayar mıdır?" soru-sunun açık bir anlama sahip olmadığıdır. Eğer soru "Beyin, içsel olarak bir dijital bilgisayar mıdır?" şeklinde sorulursa, cevap basitçe "hayır" olur. Çünkü zihinsel düşünme süreçleri dışında hiçbir şey içsel olarak dijital bir bilgisayar değildir; bir şey, ancak hesaplamalı bir yorumlama atfetmekle bağlantılı olursa bilgisayar olabilir. Eğer "Beyne hesaplamalı yorumlama atfedilebilir mi?" şeklinde bir soru sorulursa, bunun cevabı da basitçe "evet"tir. Çünkü herhangi bir şeye hesaplamalı yorumlama özelliği atfedebilirsiniz. Örneğin, önümdeki pencere oldukça basit bir bilgisayardır. Pencere açık = 1, pencere kapalı = 0. Yani, eğer Turing'in 0 ve 1 atfedilebilen herhangi bir şeyin bilgisayar olduğuna dair tanımını kabul edersek, bu pencerenin de basit ve ufak bir bilgisayar olduğunu pekâlâ söyleyebiliriz. Doğada, insan yorumundan bağımsız bir hesap-lamalı sürece asla rastlayamazsınız; çünkü bulacağınız herhangi bir fiziksel süreç, yalnızca bazı yorumlamalarla bağlantılı olarak hesapla-malıdır. Bu, oldukça açık bir mesele ve bunun farkına uzun zaman önce varmış olmam gerekirdi.

Netice itibarıyla, "maddeciliği" ve beynin bir makine olduğu görü-şü üzerinden kendisiyle gurur duyan Güçlü YZ, aslında yeteri kadar maddeci değildir. Beyin gerçekten de bir makinedir, organik bir ma-kinedir ve beyne ait (nöron ateşlemeleri gibi) işlemlemeleri de organik makinenin işlemlemeleridir. Fakat hesaplama, nöron ateşlemesine veya bir motorun yakıt harcamasına benzer bir makine işlemlemesi değildir; bilakis hesaplama, varlığı bilinçli gözlemcilere ve yorumlayıcılara bağlı olan soyut bir matematiksel işlemlemedir. Bizler gibi gözlemcilerin, silikon bazlı elektrikli makinelerde hesaplama yapmanın bir yolunu bulmuş olması, hesaplama işlemini elektriksel ya da kimyasal bir şeye dönüştürmez.

Bu, Çince Odası Argümanı'ndan farklı ve daha derin bir argümandır. Çince Odası Argümanı, semantiğin sentaksa içkin olmadığını gösterirken; bu argüman, sentaksın fiziğe içkin olmadığını gösterir.

Ben Güçlü YZ'yi reddediyor ancak Zayıf YZ'yi kabul ediyorum. Burada ele alacağım yazarlardan Dennett ve Chalmers, Güçlü YZ'nin farklı birer sürümünü savunmaktadırlar; Roger Penrose ise Zayıf YZ'yi dahi reddetmektedir. Ona göre, zihnin bir bilgisayarda simüle edilmesi dahi mümkün değildir. Nörobiyolog Gerald Edelman, Güçlü YZ'ye karşı Çince Odası Argümanı'nı kabul etmekte ve kendisine ait başka birtakım argümanlar öne sürmektedir. Yine de Zayıf YZ'yi onaylamakta ve ileride de göreceğimiz üzere, beyin araştırmalarını yürütürken bilgisayar modellerinden oldukça etkili bir biçimde yararlanmaktadır.

O halde, bizleri rahatsız eden bu soruların yanıtlanması hususunda beyin araştırmalarının nasıl sürdürülebileceğine dair kendi duruşumu özetleyecek olursam: Beyin de diğerleri gibi bir organ, organik bir makinedir. Bilinç, beyindeki alt-düzey nöronal süreçlerden kaynaklanır ve bizzat beynin bir özelliğidir. Belirli nöronal etkinliklerden beliren bir özellik olması sebebiyle onu, beynin "beliren niteliği" olarak düşünebiliriz. Bir sistemin beliren niteliği, o sistemin öğelerinin davranışları üzerinden nedensel olarak açıklanabilir; fakat o, ne tek başına herhangi bir öğeye aittir ne de basitçe bu öğelere ait özelliklerin bir toplamıdır. Suyun sıvılığı buna iyi bir örnektir: H_2O molekülleri sıvılığı açıklasa da, moleküller tek başlarına sıvı değildir.

Bilgisayarlar diğer disiplinlerde hangi işlevi görüyorsa, beyin araştırmalarında da aynı işlevi görür. Onlar, beyin süreçlerinin simülasyonu için oldukça kullanışlı araçlardır. Fakat, nasıl ki bir patlama simülasyonu patlamanın kendisi değilse, zihinsel durumların simülasyonu da zihinsel bir durum olarak düşünülemez.

❷.

Francis Crick, Bağlama Sorunu ve 40 Hz Hipotezi

Yakın zamana kadar bilim insanları arasında, bilinç sorununu ele almakla ilgili bir isteksizlik hâkimdi. Şimdilerde her şey değişti ve bu konu üzerine felsefeciler kadar biyologlar, matematikçiler ve fizikçiler de pek çok kitap yazdı. İnceleyeceğim bilim insanları arasında, beynin işleyişine dair bildiklerimizi en basit şekilde ve doğrudan ortaya koyma girişiminde bulunan, *The Astonishing Hypothesis: The Scientific Search for the Soul*[1] [Şaşırtan Varsayım: Ruha Dair Bilimsel Bir Arayış] isimli çalışmasıyla Francis Crick olmuştur. Kitabın temel aldığı şaşırtan varsayım şudur:

> "Sen", senin keyif ve üzüntülerin, anı ve tutkuların, sahip olduğun kişisel kimlik hissi ve özgür iraden aslında bir araya gelmiş çok sayıda sinir hücresinden ve onlarla ilişkili moleküllerin davranışından başka bir şey değil. (s. 3)

Crick'in kitabına ilişkin değerlendirmelerde şöyle yakınmalara rastladım: Yaşadığımız çağda, bütün zihinsel yaşamımızdan, kafatasımızın içinde gerçekleşen şeylerin sorumlu olduğunu duymak hiç de şaşırtıcı değildir ve ortalama düzeyde bir bilimsel eğitim almış herhangi biri, Crick'in hipotezinin yavan bir şey olduğuna kanaat getirecektir. Ben bu yakınmaların haklı olduğunu düşünmüyorum. Crick'in şaşırtan varsayımı ikiye ayrılır: İlki, tüm zihinsel yaşamımızın beynin içinde maddi bir varlığa sahip olduğudur —doğrusu bu o kadar da şaşırtıcı değildir. Fakat

---

1 Simon ve Schuster, 1994.

ikinci ve daha ilginç olanı, nöronlar ve onlarla ilişkili nöroiletici moleküllerin, beynimizde zihinsel yaşamımızdan sorumlu özgül mekanizmalar olduğudur. Örneğin, ben her zaman biyolojik sistemlerin özgüllüğü karşısında şaşkınlığa düşmüşümdür ve beyin söz konusu olduğunda, bu özgüllük, sadece beynin ne yaptığının bilinmesinden hareketle tahmin edemeyeceğiniz bir biçim alır. Eğer kan pompalayacak bir organik makine tasarlıyor olsaydınız, kalp gibi bir şey ortaya çıkarabilirdiniz; ama bilinç üretecek bir makine tasarlıyor olsaydınız, kimin aklına yüz milyar nöron gelirdi ki?

Crick, bilincin nedensel açıklamaları ile indirgemeci dışlanışlarını birbirinden ayırma hususunda çok açık değildir. Yukarıda alıntıladığım paragraf onu, sanki nöron ateşlemelerine ek olarak bilinçli deneyimlere de sahip olduğumuzu inkâr ediyormuş gibi göstermektedir. Fakat kitabı dikkatle okuduğumuzda Crick'in kastettiği şeyin, burada daha önce ileri sürdüğüm iddiayla benzerlik gösterdiğini fark ederiz: Bilinçli deneyimlerimizin hepsi nöronların davranışı *ile açıklanır* ve bu deneyimlerin kendileri, nöronlar sisteminin *beliren nitelikleri*dir.

Crick'in iddiasındaki açıklayıcı kısmın, günümüzün standart nörobiyolojik inanışı olması ve muhtemelen kitabı okuyacak kişilerin çok az bir kısmını şaşırtacak olması, beynin böyle sınırlı bir mekanizma ile bu kadar çok şey yapmasını hayret verici bulmamıza engel olmamalıdır. Dahası, bu alanda çalışanların tamamının, nöronun esas işlevsel unsur olduğu fikrine katıldığını da söyleyemeyiz: Penrose, nöronların hâlihazırda fazlasıyla büyük olduğu görüşündedir ve bilinci, kuantum mekaniği düzeyindeki çok daha küçük fenomenlerle açıklamak ister. Edelman ise, nöronların birçok işlev için çok küçük olduğunu düşünür ve işlevsel unsur olarak "nöron grupları"nı kabul eder.

Crick, bilinç sorununa giriş için ilk basamak olarak görsel algıyı ele alır. Bence bu makul bir tercihtir çünkü görmenin anatomisi ve fizyolojisi üzerine beyin bilimlerinde hâlihazırda yapılmış çok fazla çalışma bulunmaktadır. Fakat görsel algıyla ilgili sorunlardan biri, görsel sistemin işleyişinin şaşırtıcı düzeyde karmaşık oluşudur. Bir arkadaşımızın yüzünü kalabalık içerisinde ayırt etmek gibi basit bir eylemin işlenme biçimi bile şu an anlayabildiğimizden çok daha fazlasını gerektirir. Tahminimce –ki bu sadece bir tahmindir– nöron ateşlemelerinin bilince ve duyarlığa nasıl sebep olduğunu anlamanın yolu, muhtemelen insan beynindeki çok daha basit bir sistemi kavramaktan geçecektir. Yine de bu durum, retinadaki hücre katmanları içerisinden lateral genikulat çekirdeğe, sonra görme korteksine ve oradan da korteksin farklı alanlarına Crick tarafından yönlendirilen merakı –daha doğrusu büyülenmeyi– azaltmaz.

Tüm bunların nasıl gerçekleştiğine dair detayları gerçekten bilmiyoruz, fakat kabaca çizilmiş şöyle bir taslak sunabiliriz (Şekil 1): Nesnelerden yansıyan ışık dalgaları göz küresinin retina tabakasındaki fotoreseptör hücrelere hücum eder. Bu hücreler meşhur koniler ile çomaklardır ve bunlar, sinyalin içinden geçtiği retina hücrelerinin beş katmanından ilkini oluştururlar. Diğerleri ise horizontal, bipolar, amakrin ve gangliyon hücreleri olarak adlandırılır. Gangliyon hücreleri az çok

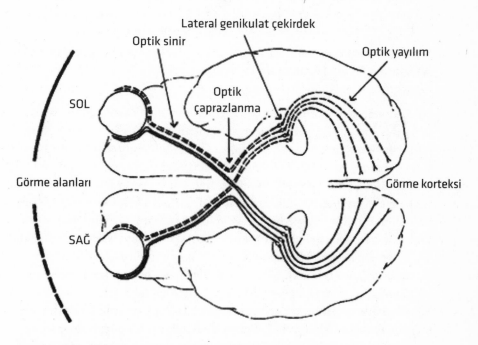

Şekil 1 Bir erken görsel yolak taslağının beynin alt tarafından görünüşü. Dikkat edilirse, sağ görme alanı beynin sol tarafına ve sol görme alanı da beynin sağ tarafına etki etmektedir. Sağ görme alanına ait bağlantılar kesik çizgilerle gösterilmiştir.

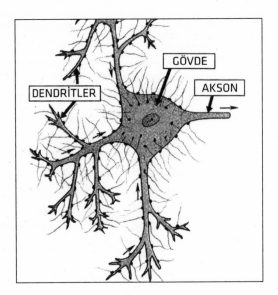

Şekil 2 Dendritleri ve nöron gövdesindeki sinaptik yumruları gösteren tipik bir motor nöron. Ayrıca tek aksona dikkat edin.

optik sinirin içine kadar sızmış durumdadır. Sinyal optik sinir boyunca ilerler, optik çaprazlanmanın üzerinden geçer ve beynin ortasında bulunan lateral genikulat çekirdek (LGÇ) isimli bölüme gelir. LGÇ bir çeşit aktarma durağı gibi davranır ve sinyalleri kafanızın arka kısmında bulunan görme korteksine yollar. Daha önce, benim de bu sorularla ilgilenmeye başladığım ilk zamanlarda, görme korteksinde üç bölüm bulunduğunu düşünüyorduk: Korbinian Brodmann tarafından bu yüzyılın başında geliştirilen ünlü beyin haritasında tanımlandığı şekliyle 17, 18 ve 19. alanlar. Şimdilerde bu anlayışı oldukça eksik buluyoruz. Şu anda V1, V2 vs. şeklinde adlandırılan yedi görme alanı sayıyoruz ve bunları artırmaya devam ediyoruz. Öyle ya da böyle sinyal çeşitli görme alanlarından geçer ve buralardan LGÇ'ye yapılan geribildirimler oldukça fazladır. Nihayetinde bütün süreç bilinçli bir görme deneyimine neden olur; işte bizim anlamaya çalıştığımız şey bunun tam olarak nasıl gerçekleştiğidir.

Nöronlar nasıl çalışır? Hücre zarı ve merkezi çekirdeğiyle birlikte nöron, tıpkı diğer hücreler gibi herhangi bir hücredir (Şekil 2). Yine de nöronlar, hem anatomik hem de fizyolojik açıdan diğer hücre türlerinden kayda değer biçimde ayrılırlar. Nöronların birçok farklı türü bulunmakla birlikte tipik veya sıradan bir nöronda, hücrenin bir tarafından çıkan ve akson adı verilen uzun ipliksi uzantılar ile diğer tarafından çıkan ve dendrit adı verilen daha kısa, dallanmış, dikensi bir lif demeti bulunur.

Her nöron, sinyalleri dendritleri aracılığıyla alır ve hücre gövdesinde işler, daha sonra aksonu aracılığıyla sıradaki nöronlara bir sinyal ateşler. Nöron bu ateşlemeyi aksonunun ucuna bir elektriksel uyarı göndererek yapar. Ancak bir nöronun aksonu diğer bir nöronun dendritiyle doğrudan bağlantılı değildir. Bunun yerine sinyalin bir nörondan diğerine iletildiği sinaptik yarık adı verilen küçük bir boşluk bulunur (Şekil 3). Tipik bir sinaps, "buton" veya "sinaptik yumru" olarak adlandırılan, akson üzerine yerleşmiş ve kabaca bir mantar gibi çıkıntı yapan bir yumrudan oluşur ve bu yumru genellikle bitişik dendritin yüzeyindeki dikensi uzantıya denk gelir. Buton ve sinaps-sonrası dendrit yüzeyi arasındaki boşluk sinaptik yarıktır ve nöron ateşlendiğinde, sinyal bu boşluğun bir tarafından diğerine doğru iletilir.

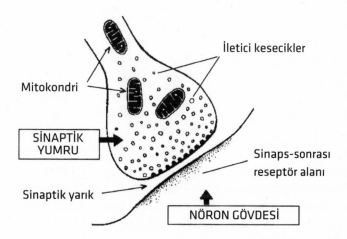

Şekil 3 Sinapsın fizyolojik anatomisi

Sinyal, buton ile dendrit yüzeyi arasında doğrudan bir elektriksel bağlantıyla değil, nöroiletici adı verilen bir sıvının az miktarda salınmasıyla iletilir. Elektriksel sinyal, hücre gövdesinden bir butonun sonuna doğru akson boyunca ilerlerken, nöroiletici sıvıların sinaptik yarığa salınmasına neden olur. Bu maddeler sinaps-sonrası dendritlerin üzerinde bulunan reseptörlere bağlanır. Bu bağlantı bazı kapıların açılmasına neden olur ve dendritik tarafta iyonlar —elektrik yüklü atomlar veya atom grupları— içeri ya da dışarı doğru hareket ederek dendritin elektriksel yükünü değiştirirler. Öyleyse, örüntü şu şekildedir: Akson tarafında bir elektriksel sinyal mevcuttur, ardından sinaptik yarıkta bir kimyasal iletim gerçekleşir ve bunu dendritik tarafta bir elektriksel sinyal izler. Dendritlerinden pek çok sinyal alan hücre, bunları gövdesinde toplar ve hat üzerinde bulunan sonraki hücreleri ateşleme sıklığını bu toplamaya dayanarak belirler.

Nöronlar hem ateşleme sıklıklarını artıran uyarıcı sinyalleri hem de azaltan baskılayıcı sinyalleri alırlar. Tuhaf bir şekilde, nöronların her biri hem uyarıcı hem baskılayıcı sinyallere maruz kaldığı halde, bir nöron yalnızca bir çeşit sinyal gönderir. Birkaç istisnası bulunmakla birlikte, bildiğimiz kadarıyla bir nöron ya uyarıcıdır ya da baskılayıcıdır.

Burada şaşırtıcı olan nokta şudur: Zihinsel yaşamımız söz konusu olduğunda, size nöronlarla ilgili anlattığım bu hikaye, bütün bilinçli yaşamımızın nedensel zeminidir. İyon kanalları, reseptörler ve farklı nöroiletici türleriyle ilgili pek çok detayın üzerinde durmadım. Ancak tüm zihinsel yaşamımıza nöronların davranışları neden olur ve onların yaptığı tek şey de, ateşleme sıklıklarını artırmak ya da azaltmaktan ibarettir. Örneğin, anılarımızı depolayacaksak, görünen o ki bunu bir şekilde nöronlar arasındaki sinaptik bağlantılarda yapmamız gerekiyor.

Diğer bilim insanlarına kıyasla Crick, hem beynin işleyişinin basit bir özetini vererek hem de bu işleyişi psikoloji, bilişsel bilimler, nöron ağlarının modellenmesinde bilgisayarların kullanımı gibi farklı birçok alanla bütünleştirmeye çalışarak sıra dışı biçimde iyi bir iş çıkarmıştır.

Crick, filozoflara ve felsefeye karşı genellikle düşmanca bir tutum içerisindedir. Ancak felsefeyi küçük görmenin bedelini felsefi hatalar yaparak ödemiştir. Crick'in hatalarının çoğu esas argümanına ciddi bir zarar vermese de rahatsız edici ve gereksizdir. Ben de burada gerçekten önemli bulduğum üç felsefi hatasından bahsetmek istiyorum.

Birincisi, Crick, nitelceler sorununu yanlış anlamıştır. O, bu sorunun, öncelikle kişinin bir başka kişiye ait nitelcelerin bilgisine sahip olma yoluyla ilgili olduğunu düşünmektedir: "Sorun, benim oldukça canlı bir şekilde algıladığım kırmızının kırmızılığının başka bir insana tümüyle aktarılamamasından kaynaklanmaktadır" (s. 9). Fakat bu, nitelceler sorununun kendisi değil, olsa olsa küçük bir parçasıdır. Nitelcelerine dair neredeyse eksiksiz bilgi sahibi olduğum bir sistem (örneğin kendim) için bile nitelceler sorunu kritiktir. Sorun aslında şu şekildedir: Fiziksel, nesnel, nicel olarak tanımlanabilen nöron ateşlemeleri nitel, şahsi ve öznel deneyimlere nasıl neden olabilmektedir? Daha sade bir biçimde söylersek, beyin, elektrokimyadan hissetmeye geçişteki tümseği atlamamızı nasıl sağlamaktadır? Bilincin, beynin bir özelliği olduğu ve ona beyin süreçlerinin neden olması gerektiği anlaşıldıktan sonra elimizde arta kalan bu sorun, zihin-beden sorununun zor kısmını oluşturur.

Dahası, nitelceler sorunu bilinç sorununun sadece bir veçhesi değildir; o, bilinç sorununun *bizzat kendisi*dir. Bilincin başka pek çok özelliğine –örneğin görsel sistemin renkleri ayırt etmek için sahip olduğu güçlere– dair konuşabilirsiniz, fakat bilinçli ayırt etme hakkında konuşuyor olduğunuz sürece nitelceler hakkında konuşuyorsunuz demektir. Şahsen, "nitelceler" teriminin yanıltıcı olduğu görüşündeyim. Çünkü bu terim, bir bilinç durumunun nitelcesini bilincin geri kalanından ayırıp bir kenara koyabileceğimiz ve bilincin öznel, niteliksel hissini yok sayarak bilinç sorununun geri kalanından bahsedebileceğimiz izlenimi veriyor. Ancak nitelceleri bir kenara koyamazsınız, aksi takdirde geriye bilinç diye bir şey kalmaz.

İkincisi, Crick, bilincin nöron ateşlemelerine indirgenmesi noktasındaki açıklamasında da tutarsızdır. İndirgemecilerin ağzıyla konuşuyor, fakat yaptığı açıklama (doğası gereği) bütünüyle indirgemeci değildir. Daha doğrusu, "indirgeme"nin en az iki farklı anlamını birbirine karıştırmaktadır. Bu anlamlardan birine göre, indirgeme, elemeci bir karakter taşır. Buna göre, indirgenmiş fenomenden, onun aslında başka bir şey olduğunu göstermek suretiyle kurtuluruz. Günbatımları buna güzel bir örnektir: Güneş, Tamalpais Dağı üzerinde gerçekten de hareket etmez; batan güneşin görüntüsü, aslında dünyanın kendi ekseni etrafında dönmesiyle açıklanan bir yanılsamadır. İndirgemenin diğer anlamındaysa, bir fenomeni açıklarız fakat ondan kurtulmayız. Bu açıdan, bir nesnenin katılığı, tümüyle onu oluşturan moleküllerin davranışıyla açıklanır; fakat bu, hiçbir nesnenin gerçekten katı olmadığını ya da katılık ve sıvılık arasında hiçbir fark bulunmadığını göstermez. Burada tekrar Crick'e dönecek olursak; o, sanki bilince yönelik elemeci bir indirgemeyi amaçlıyormuş gibi konuşuyor; oysa kitabında nedensel bir açıklama getirmeye çalışıyor. Bilinç diye bir şeyin aslında var olmadığını göstermek gibi bir girişimde bulunmuyor. Crick'in foyası, bilincin beynin beliren bir niteliği olduğunu söylediğinde –ki bana göre bu tümüyle doğru bir yargıdır– ortaya çıkmaktadır. Kendisinin de belirttiği üzere, karmaşık duyumsamalar, "birçok parçasının birbiriyle etkileşimi sonucu beyinde ortaya çıkan" beliren niteliklerdir (s. 11).

Buradaki muamma, Crick'in, nedensel belirimciliği [*causal emergentism*] uygularken elemeci indirgemecilik vaazında bulunmasıdır. Bilince yönelik elemeci indirgemeye karşı standart bir felsefi argüman şöyledir: Mükemmel bir nörobiyoloji bilimine sahip olsak dahi, nöron ateşlemelerinin nörobiyolojik örüntüsü ve acının hissedilmesi gibi birbirinden ayrı iki özellik var olmaya devam edecektir. Hissetmeye nöron ateşlemeleri neden olur, fakat nöron ateşlemeleri ile hissetme aynı şey değildir. Bu argümanın farklı sürümleri Thomas Nagel, Saul Kripke, Frank Jackson, bendeniz ve başka filozoflar tarafından geliştirilmiştir. Crick, Paul ve Patricia Churchland tarafından indirgemecilik-karşıtlığı aleyhinde ortaya konmuş bir argümanı yanlışlıkla onaylamaktadır. Churchlandlarınki kötü bir argümandır ve neden böyle düşündüğümü ifade etsem iyi olur. Onlar, standart felsefi açıklamanın açıkça kusurlu olan şu argümana dayandığını düşünmektedirler:

1. Sam, hissettiğinin bir ağrı olduğunu bilir.
2. Sam, hissettiğinin bir nöron ateşlemeleri örüntüsü olduğunu bilmez.
3. Öyleyse, Sam'in hissettiği bir nöron ateşlemeleri örüntüsü değildir.[2]

---

2 Bu argümanlarını, en son Paul Churchland'ın kaleme aldığı *The Engine of Reason: The Seat of the Soul* (MIT Press, 1995, s. 195-208) kitabı olmak üzere, birçok yerde geliştirdiler.

Churchlandlar, bu önermelerin yanıltıcı olduğuna dikkat çekerler ancak karşı tarafın kullandığı argümanın bu olduğunu düşünerek hataya düşmektedirler. Saldırdıkları argüman "epistemik"tir, yani bilgiyle ilgilidir. Fakat bilincin indirgenemezliğine dair geliştirilen argüman epistemik değildir; dünyadaki şeylerin mahiyetiyle, yani ontolojiyle ilgilidir. Bunu ifade etmenin farklı yolları var fakat hepsindeki temel nokta aynı: Ağrının saf niteliksel hissi, ağrıya neden olan nöron ateşlemelerinin örüntüsünden oldukça farklı bir beyin niteliğidir. Dolayısıyla, ağrıyı nedensel olarak nöron ateşlemelerine indirgeyebilirsiniz; fakat bu, bir ontolojik indirgeme değildir. Ağrıyı neden hissettiğimize dair eksiksiz bir nedensel açıklama getirebilirsiniz; fakat bu, ağrının gerçekten var olmadığı anlamına gelmez.

Üçüncüsü, Crick'in öne sürdüğü açıklamanın mantıksal yapısı açık değildir ve son derece iyi niyetli bir okumayla dahi bu açıklama tutarsız görünmektedir. Bugüne kadar kendisini görsel bilincin nedensel açıklamasını arayan biri olarak değerlendiriyordum; "mekanizma" ve "açıklama" şeklindeki ifadeleri de bu yorumumu destekliyordu. Ancak kendisi, beyin süreçlerinin görsel farkındalığı nasıl ürettiğine dair nedensel bir açıklama sunduğunu hiçbir zaman açıkça dile getirmemiş ve bilincin "nöral bağıntıları"nı araştırdığını söylemeyi tercih etmiştir (örneğin, s. 9 ve s. 204-207). Fakat onun bakış açısına göre, "nöral bağıntılar" doğru bir ifade olamaz: Birincisi, bağıntı iki farklı şey arasındaki ilişkidir; ama iki şey arasındaki ilişki, Crick'in benimsediğini düşündüğü elemeci-indirgemeci çizgiyle uyuşmaz. Elemeci-indirgemeci görüşte yalnızca bir şey mevcuttur, o da nöron ateşlemeleridir. İkincisi ve daha da önemlisi, indirgemeci hatayı çıkarıp atsak bile bağıntıların kendileri hiçbir şeyi açıklamayacaktır. Şimşeğin görüntüsünü ve gök gürültüsünün sesini düşünün. Görüntü ve sesin bağıntısı kusursuzdur, fakat nedensel bir kuram olmaksızın bir açıklamaya da sahip olamazsınız.

Dahası, Crick, görsel deneyimler ile bu deneyimlerin ait olduğu, dünyadaki nesnelerin ilişkisi konusunda da açık değildir. Bazen görsel deneyimin dünyanın bir "simgesel tasviri" (s. 32) ya da "simgesel yorumu" (s. 33) olduğunu söyler. Bazen de nöronal süreçlerin dünyadaki nesneleri "temsil ettiği"ni dile getirir. Hatta işi dünyadaki nesnelere dair doğrudan bir algısal farkındalığa sahip olduğumuzu inkâr etmeye kadar vardırır ve ulaştığı bu sonucu, on yedinci yüzyıl felsefesine ait kötü bir argümana dayandırır (s. 33). Yorumlarımız ara sıra yanlış çıktığı için dünyadaki nesnelere dair doğrudan bir bilgiye sahip olmadığımızı söyler. Descartes ve Hume'da da rastlanabilen bu argüman tam bir safsatadır. Algısal deneyimlerimizin daima beyin süreçleri aracılığıyla meydana geldiği (aksi halde onlara nasıl sahip olabilirdik?) ve genellikle binbir türlü yanılsamaya maruz kaldığı gerçeği, asıl dünyayı değil de yalnızca dünyanın "sembolik tasvir"ini veya "sembolik yorumlar"ını gördüğümüz anlamına gelmez. Örneğin, saatime bakmam gibi standart bir durumda gerçek saati görüyorum, saatin bir "tasvir"ini ya da "yorum"unu değil.

Bana göre Crick, felsefi açıdan oldukça mantıksızdır. Fakat felsefi kafa karışıklıklarını bir kenara bırakırsak, enfes bir kitap olduğunu söyleyebiliriz. Sonuç olarak, onun istediğini zannettiğim ve her halükarda benim de istediğim şey, bilinçle ilgili (ister görsel ister başka bir açıdan olsun) nedensel bir açıklama getirmektir. Cisimlerden yansıyan fotonlar retinadaki fotoreseptör hücrelere çarparak bir dizi nöronal süreci başlatır (retina, beynin bir parçasıdır) ve her şey yolunda giderse, bu süreç, en başta fotonları yansıtan nesnenin algısı olan görsel bir deneyimle sonuçlanacaktır. Bana kalırsa konuyu ele almanın doğru yolu budur; bu konuda onun da bana katılacağını umuyorum.

Peki öyleyse Crick'in bilinç sorunu için sunduğu çözüm nedir? Crick'in kitabını cazip kılan özelliklerden biri, onun ne kadar az şey bildiğimizi kabul etmeye gönüllü hatta hevesli olmasıdır. Ama bildiklerimizin ne olduğu göz önünde bulundurulduğunda, bazı spekülasyonlar yaptığı görülür. Bilinç üzerine ortaya koyduğu bu spekülasyonları açıklamak için nörobiyologların "bağlama sorunu" [binding problem] dedikleri şeyle ilgili birkaç noktaya değinmeliyim: Görsel sistemin bilhassa belli birtakım özelliklere –renk, şekil, hareket, çizgiler, açılar vs. gibi– karşı duyarlı hücrelere ve hatta bölgelere sahip olduğunu biliyoruz. Fakat biz bir nesneyi gördüğümüzde, tek bir nesnenin birleşik deneyimine sahip oluruz. Peki, nasıl oluyor da beyin, bütün bu farklı uyaranları birbirine bağlayıp bunları nesnenin tek bir birleşik deneyimine dönüştürüyor? Bu sorun, farklı algı biçimleri için de genişletilebilir. Belirli bir zamandaki deneyimlerimin hepsi, büyük bir birleşik bilinçli deneyimin parçasıdır. Örneğin, an itibarıyla görsel bilinç üzerine düşünüyor, bir bilgisayar terminaline bakıyor, sol gözümle etraftaki köpeğimi görebiliyor, vücudumun sandalyeye yaptığı ağırlığı hissediyor, penceremin dışındaki akarsuyu duyuyorum. Saymış olduğum tüm bu deneyimler –ekleyebileceğimiz başkalarıyla birlikte– benim şu anki tek, birleşik, toplam bilinç durumumun birer parçasıdır. (Kendisine bahşedilen akılda kalıcı sözler üretme yeteneğiyle Kant, bu durumu "tamalgının aşkın birliği" [*transcendental unity of apperception*] şeklinde adlandırmıştır.)

Crick, bağlama sorununun, "nöronların geçici süreliğine bir bütün olarak nasıl etkinleştikleri sorunu" olduğunu söyler (s. 208). Fakat bu, bağlama sorununun kendisi değil çözümüne yönelik olası bir yaklaşımdır. Örneğin, görme sürecindeki "bağlama sorunu"nu çözecek olası bir yaklaşım, Wolf Singer ve Frankfurt'taki çalışma arkadaşları[3] başta olmak üzere, çeşitli araştırmacılar tarafından öne sürülmüştür. Bu araştırmacılara göre çözüm, nesnelerin farklı özelliklerine duyarlı ve uzaysal olarak birbirinden ayrılmış nöronların eşzamanlı ateşlenmesinde yatar. Örneğin şekil, renk ve harekete duyarlı farklı nöronlar saniyede 40 ateşlemelik genel bir aralıkta (40 hertz) eşzamanlı bir şekilde ateşlenir. Crick ve çalışma arkadaşı Christof Koch bu varsayımı bir adım öteye taşımış ve belki de bu aralıktaki (kabaca 40 hertz, ama 35 kadar düşük ya da 75 kadar yüksek de olabilir) eşzamanlı nöron ateşlemelerinin, görsel bilincin "beyin bağıntısı" olabileceğini ileri sürmüştür.

Buna ek olarak talamus, bilinç konusunda merkezi bir rol oynuyor gibi durmakta ve bilinç, korteksi (özellikle de dördüncü ve altıncı katmanlarını) talamusa bağlayan devreye dayanıyor gibi görünmektedir. Dolayısıyla Crick, talamus ile korteksi bağlayan ağlardaki 40 hertz aralığında eşzamanlı ateşlemelerin bilinç sorununu çözmede anahtar rol oynayabileceği üzerine bir spekülasyonda bulunur.

Ben, Crick'in spekülasyonda bulunma hevesini takdir ediyorum; fakat spekülasyonun kendi doğası, daha gidecek ne kadar çok yolumuz olduğunu gösteriyor. Bilincin, talamusu kortekse bağlayan nöronal devrelerin 40 hertz sıklığındaki nöron ateşlemeleriyle değişmez bir şekilde bağıntılı olduğunun ortaya çıktığını varsayalım. Bu bir bilinç açıklaması olur muydu? Hayır, bu haliyle onu bir açıklama olarak asla kabul et-

---

3 W. Singer, "Development and plasticity of cortical processing architectures", *Science* 270 (1995), s. 758-764; W. Singer, "Synchronization of cortical activity and its putative role in information processing and learning", *Annual Review of Physiology* 55 (1993), s. 349-375; W. Singer ve C. M. Gray, "Visual feature integration and the temporal correlation hypothesis", *Annual Review of Neuroscience* 18 (1995), s. 555-586.

mezdik. İleriye doğru muazzam bir adım atıldığını kabul etsek de, hâlâ sistemin nasıl çalıştığını bilmek isteyecektik. Bu, arabanın hareketlerinin, kaportanın altında hidrokarbonların oksitlenmesiyle "bağıntılı olduğunu" bilmeye benzerdi. Yine de hidrokarbonların oksitlenmesinin hangi mekanizmayla tekerleklerin hareketini ürettiğini –tekerleklerin hareketine *neden olduğu*nu– öğrenmek gerekirdi. Crick'in spekülasyonları yüzde yüz doğru olsa bile hâlâ nöral bağıntıların bilinçli hislere neden olmasını sağlayan mekanizmaları bilmeye ihtiyacımız var ve biz böyle bir açıklama biçiminin nasıl olacağını bilmekten henüz çok uzağız.

Crick, gayet iyi ve faydalı bir kitap yazmış. Çok şey biliyor ve bu bilgilerini açık bir biçimde anlatıyor. İtirazlarımın büyük bir kısmı, onun felsefi iddialarına ve varsayımlarına yönelik; ama bu felsefi kısımları görmezden gelip, görmenin psikolojisi ve beyin bilimleri hakkında kendisinden çok şey öğrenilebilir. Kitabın nörobiyolojik kısımlarına ilişkin mevcut sınırlılıklar, konunun günümüzde sahip olduğu sınırlılıklardan kaynaklanıyor: Görme psikolojisinin ve nörofizyolojinin birbirine nasıl bağlandığını ve beyin süreçlerinin görsel ya da başka türden bir bilince nasıl sebep olduğunu bilmiyoruz.

3.

Gerald Edelman ve Yeniden-Girişli Haritalama

Gerald Edelman'ın kuramı, bugüne kadar rastlamış olduğum nörobiyolojik bilinç kuramları arasında en etkileyici sonuçlara ve derinliğe sahip olanıdır. Bu bölümde *Neural Darwinism* ve *Topobiology* ile başlayan serinin üçüncü ve dördüncü kitaplarını ele alacağım. Bu serinin amacı, beyin bilimlerini fizik ve evrimsel biyolojiyle ilişki içerisinde konumlandıracak kapsamlı bir beyin kuramı inşa etmektir. Serinin en önemli parçası ise *The Remembered Present*'da geliştirilen ve *Bright Air, Brilliant Fire*'da özetlenen bilinç kuramıdır.[1]

Edelman'ın bilinç kuramını aydınlatmak için öncelikle, kullandığı merkezi kavram ve kuramlardan bazılarını, özellikle de bir algısal kategorileştirme [*perceptual categorization*] kuramını geliştirirken nelerden yararlandığını kısaca açıklamam gerekiyor. Başlangıç için en iyi yöntem, Edelman'ın projesini Crick'inki ile kıyaslamak olacaktır. 2. Bölüm'de de gördüğümüz gibi Crick, bağlama sorunuyla ilgili bir açıklamayı genel bir bilinç açıklamasına doğru genişletme arzusundadır. "Bağlama sorunu", beynin farklı kısımlarına giden farklı uyarı girdilerinin, tek ve birleşik bir deneyimi –örneğin, bir kediyi görmek– üretecek şekilde nasıl birbirine bağlandığı sorusunu ortaya koyar. Edelman da, algısal kate-

---

1 *Neural Darwinism: The Theory of Neuronal Group Selection* (BasicBooks, 1987); *Topobiology: An Introduction to Molecular Embriology* (BasicBooks, 1988); *The Remembered Present: A Biological Theory of Consciousness* (BasicBooks, 1989) ve *Bright Air, Brilliant Fire: On the Matter of the Mind* (Basicbooks, 1992).

gorilerin –şekil, renk ve hareketten kedi, köpek gibi nesnelere kadar değişen kategorilerin– gelişiminden bilince dair genel bir açıklamaya ulaşmak ister. Kısacası Crick, görsel algıdaki bağlama sorununu bilinç meselesine giriş için ilk basamak olarak kullanırken, Edelman için ilk adım kategorileştirme olgusudur.

Edelman'da merkezi olan ilk düşünce, harita kavramıdır. Harita, beyinde bulunan bir nöron tabakasıdır. Bu tabaka üzerindeki noktalar, cilt yüzeyi veya gözün retinası gibi bir reseptör hücre tabakasının üzerinde kendilerine denk düşen noktalarla sistematik olarak ilişki içindedir. Haritalar ayrıca başka haritalarla ilişkili de olabilir. İnsanın görme sisteminde, sadece görme korteksinde dahi otuzun üzerinde harita bulunur. Bir haritanın, beyin anatomisinin gerçek bir parçası olarak varsayıldığını vurgulamak istiyorum. Nöron tabakalarından bahsediyoruz. Bu tabakalar "harita" olarak tanımlanmıştır çünkü haritaların üzerindeki noktalar ile diğer tabakalardaki başka noktalar arasında sistematik bir bağlantı vardır. Bu durum, birazdan göreceğimiz yeniden-giriş [reentry] fenomeni için önemlidir.

İkinci düşünce, Edelman'ın Nöronal Grup Seçilimi [Neuronal Group Selection] kuramıdır. Edelman'a göre, beyin gelişimini (özellikle algısal kategorileştirme ve bellek konularında), çevrenin etkisiyle beynin öğrenmesi meselesi olarak ele almaktan kaçınmamız gerekir. Aksine beyin, doğumdan itibaren aşırı miktarda nöronal gruplarla genetik olarak donatılmıştır ve Darwinci doğal seçilime benzer bir mekanizmayla gelişim gösterir: Bazı nöronal gruplar ölür, diğerleri hayatta kalır ve güçlenir. Öyle ki beynin bazı bölümlerinde nöronların %70'i, henüz beyin olgunluğa ulaşmadan ölür. Doğal seçilime uğrayan birim, tek bir nöron değil yüzlerce hatta milyonlarca hücreden oluşan nöronal gruplardır. Buradaki temel nokta, beynin eğitime-dayalı [instructional] değil seçilime-dayalı [selectional] bir mekanizma olmasıdır. Bu demek oluyor ki, beynin gelişimi sabit bir nöron dizisinin değişikliğe uğramasıyla değil, bazı nöronal grupları dışarıda bırakıp diğerlerini güçlendiren seçilim süreçleriyle sağlanır.

Üçüncü ve en önemli düşünce ise yeniden-girişe dair olandır. Yeniden-giriş, birbirine paralel sinyallerin haritalar arasında gidip geldiği bir işlemdir. A haritası B haritasına sinyal gönderir ve B haritası da karşılık verir. Sinyaller A'dan gelip B'ye giriş yapar ve sonra A'ya yeniden-giriş yapar. Edelman, birçok paralel yolak eşzamanlı çalışabildiği için bu yeniden-girişin yalnızca bir geribildirim olmadığı hususunda ısrar etmekte isteklidir.

Bunların hepsinin algısal kategorileri ve genellemeleri nasıl ortaya çıkardığı düşünülüyor peki? Bu noktada Edelman'ın nesri henüz çok açık olmasa da ortaya çıkan görüş şu şekildedir: Beynin, çözmesi gereken bir sorunu vardır. Beyin şekil, renk ve hareket ile başlayıp en nihayetinde ağaç, at ve fincan gibi nesneleri de içeren algısal kategoriler geliştirmek zorundadır. Aynı zamanda genel kavramları soyutlaştırabilmesi de gerekir. Bütün bunları ise, dünyanın önceden etiketlenip kategorilere ayrılmadığı ve hazır bir programa veya içerisinde ona rehberlik edecek bir homunkulusa sahip olmadığı bir durumda gerçekleştirmek zorundadır.

Peki beyin bu sorunu nasıl çözer? Beyin, her bir kategori için çok sayıda uyaran girdisine sahiptir. Bu uyaranların bir kısmı nesnenin kenarlarından veya köşelerinden, diğerleri ise renginden vs. gelir. Bir hayli uyaran girişinden sonra, nöronal grupların belli örüntüleri haritalarda seçilir. Fakat bu kez, benzer sinyaller önceden seçilmiş nöronal grupları sadece bir haritada değil bir başka haritada daha, hatta belki bütün bir harita grubunda etkinleştirecektir. Çünkü farklı haritalardaki işlemler birbirine yeniden-giriş kanallarıyla bağlanmıştır. Her harita, başka haritalar tarafından yapılmış ayırımları kendi işlemleri doğrultusunda kullanabilir. Böylece bir harita nesnenin sınırlarını, diğeri ise hareketlerini çözme işini halleder ve yeniden-giriş mekanizmaları da, o nesnenin hareketlerinden ve sınırlarından yola çıkarak şeklini hesaplamak için diğer haritaları devreye sokabilir (*The Remembered Present*, s. 72 ve devamı).

Sonuç olarak, temsil beynin farklı bölgelerine dağıtılmış olsa da dünyadaki nesnelerin birleşik bir temsiline sahip olabiliriz. Farklı bölgelerdeki farklı haritalar, yeniden-giriş yolakları üzerinden birbirlerine sinyal göndermekle meşguldür. Bu durum, bir program ya da homunkulus olmadan da kategorileştirme ve basit genelleştirme yapılabilmesini sağlar. Beyninizin her yerinde birbirine yeniden-giriş yoluyla sinyaller yollayan haritalar bulunduğunda, Edelman'ın "global haritalama" adını verdiği şeyi elde edersiniz ve bu durum, sistemin hem algısal kategorilere ve genelleştirmeye sahip olmasını hem de algı ve hareketin birlikte çalışmasını sağlar.

Bu, işe yarayan bir varsayım olmakla beraber sağlam bir kuram değildir. Edelman, beynin algısal kategorileri biçimlendirmede nasıl iş gördüğünü ispatladığını iddia etmiyor. Fakat bu hipotez, Edelman'ın araştırma grubu tarafından, bahsettiğimiz mekanizmaları kullanarak algısal kategorileri kazanabilen ve bu kategorileri genelleştirebilen bir robotun ("Darwin III") Zayıf YZ bilgisayar modellerini tasarlamak suretiyle en azından akla yatkın bir hale getirildi. Bu robotun simüle edilmiş bir "göz"ü ve sağa sola sallayabildiği (aynı zamanda el olarak da kullandığı) bir "kol"u bulunur. Bu yöntemlerle keşif yapan robot, bir şeyin nesne olup olmadığına, çizgili veya bombeli olup olmadığına "karar verir". Hem çizgili hem de bombeli olan nesneleri yalnızca çizgili ya da yalnızca bombeli olan nesnelerden ayırt eder (*Bright Air, Brilliant Fire*, s. 91-93).[2]

Şimdiye kadar bahsettiğimiz bütün bu süreçlerin bilinçli olmadığını vurgulamamız önemli. Edelman, algısal kategorileştirme hakkında konuşurken, bilinçli algısal deneyimlerden bahsetmemektedir. Onun izlediği strateji, hâlihazırda bilinçli olarak düşünülmeyeceği varsayılan –ve kategorileştirmeyle başlayan– bir dizi süreçten bilinç inşa etmeye çalışmaktır. Bu durum, bahsedilen süreçlerin başından beri bilinçli olduğu varsayımını sorgulamayı gerektirir.

O halde sorulacak soru şu olacaktır: Buraya kadar tarif ettiğimiz aygıttan bilinçli deneyimlere nasıl geçiş yapılmaktadır? [Bunun için] başka ne gerekir? Edelman, *The Remembered Present*'ın büyük bir bölümünü bu soruyu yanıtlamaya ayırmıştır ve yapacağım herhangi bir özetin yetersiz kalacağını belirtmeliyim. Öncelikle, Edelman'ın, basit duyumsamalar ve algısal deneyimler anlamında kullandığı imgeleme [*imagery*] sahip olma durumu yani "birincil bilinç"i [*primary consciousness*] dil ve öz-bilinci içeren "üst-düzey bilinç"ten [*higher-order consciousness*] ayırt etmemiz zaruridir. Edelman'ın en büyük derdi birincil bilinci açıklamaktır; çünkü üst-düzey bilinç zaten bilinçli olan, yani birincil bilince sahip olan süreçlerin üzerine inşa edilmiştir. Birincil bilince sahip ol-

---

2 Darwin III'ün, çarpma sesleri çıkararak odada dolaşan fiziksel bir robot değil, bir robot resmi veya bir robotun bilgisayardaki simülasyonu olduğunu belirtmek önemli olabilir.

mak için beynin, yukarıda tanımladığımız mekanizmalara ek olarak, en azından aşağıda belirteceğimiz şeylere de ihtiyacı vardır:

1. Belleğe sahip olması gerekir. Edelman'a göre bellek, pasif bir depolama süreci değil, geçmiş kategorileştirmeler üzerinden bir yeniden-kategorileştirme şeklinde yürüyen etkin bir süreçtir. Örnek verme konusunda pek iyi olmasa da sanırım Edelman'ın aklında şöyle bir şey var: Bir hayvanın kedilere dair algısal bir kategori edinmiş olduğunu varsayalım. Hayvan, bu kategoriyi, kediyi görme deneyimi ve bu deneyimin yeniden-girişli haritalar yoluyla düzenlenmesi sonucu edinir. Daha sonra bir kedi gördüğünde (dolayısıyla benzer bir algısal girdiye sahip olduğunda), önceden kurulmuş olan kategorileştirmeyi güçlendirerek bu girdiyi yeniden-kategorilendirir. Bu eylemi, global haritalamadaki sinaps yoğunluğunda yaptığı değişiklikler aracılığıyla gerçekleştirir. Hayvan yalnızca bir kalıp-yargıyı [*stereotype*] anımsamakla kalmaz, aynı zamanda kediler kategorisini kesintisiz bir şekilde *yeniden-kurar*. Ortaya konulan bu bellek kavrayışı, bana göre, kitabın en güçlü özelliklerinden biridir. Çünkü belleğin bir bilgi ve deneyim deposu, hatırlamanın da bu depodan geri-getirme süreci olduğuna dair geleneksel düşünceye bir alternatif sağlamaktadır.

2. Beyin, öğrenme işlemi için bir sisteme sahip olmalıdır. Edelman'a göre öğrenme yalnızca belleği değil, bazı uyaranları diğerlerinden daha değerli kabul eden değer kavramını da içerir. Bir sistem öğrenme işini gerçekleştirmek için bazı şeyleri diğerlerine tercih etmek zorundadır. Öğrenme, pozitif ve negatif değerlerin kontrol ettiği kategorileştirmelere dayanan davranış değişikliklerinden ibarettir. Örneğin, bir hayvan aydınlık olan şeyi karanlık olandan ya da sıcak olanı soğuk olandan daha değerli bulabilir ve bu hayvan için öğrenmek dediğimiz şey, algısal kategorileştirmeleri ve belleği böyle bir dizi değerle ilişkilendirmeyi kapsar.

3. Beyin, ayrıca, benlik [*self*] ile benlik-olmayanı [*nonself*] birbirinden ayırt etme yeteneğine de muhtaçtır. Bu, henüz öz-bilinç değildir; çünkü böylesi bir işlem, ayrı bir benlik kavramı olmadan da yürütülebilir. Ancak yine de sinir sistemi, kendisinin de bir parçası olduğu organizmayı dünyanın geri kalanından ayırt edebilmek zorundadır. Bu ayrım için gerekli aygıt bize beyin anatomimiz tarafından çoktan sunulmuştur. Açlık hissetmek gibi içsel durumlarımızı kaydeden beyin bölgelerimiz,

dış dünyadan gelen sinyalleri içeri alan beyin bölgelerinden (çevremizdeki bir nesneyi görmemizi sağlayan görsel sistem gibi) ayrıdır. Açlık hissetmek "benlik"in parçası iken, çevremizde görülen nesneler "benlik-olmayan"ın parçasıdır.

Bu üç özellik, birincil bilinci oluşturmak için gerekli fakat henüz yeterli olmayan koşullardır. Birincil bilinci tümüyle açıklayabilmek için bunlara üç madde daha eklememiz gerekiyor:

4. Organizma, ardışık olayları zaman içerisinde kategorileştirmek ve kavramları biçimlendirmek için bir sisteme ihtiyaç duyar. Örneğin bir hayvan, görüş alanında bir kedinin dolaşması gibi belirli bir olayı algılayabilir. Aynı hayvan daha sonra, görüş alanından bir köpeğin geçmesi gibi bir başka olayı da algılayabilir. Bu hayvan, yalnızca kedi ve köpeği kategorileştirmekle kalmamalı, ayrıca –bir kedinin bir köpek tarafından takip edilişinde olduğu gibi– olayların sıralanmasını da kategorileştirebilmelidir. Bunun dışında, bu kategorilere karşılık gelecek dil-öncesi kavramları da biçimlendirebiliyor olmalıdır. Edelman'ın ardışık olayların kategorileştirilmesi ve kavramların biçimlendirilmesi şeklinde ifade ettiği bu iki kategoriyi, onların beyinde ortak bir nörobiyolojik altyapıya sahip olduklarını düşündüğü için bir araya getirdiğine inanıyorum.

5. Özel bir bellek türüne ihtiyaç vardır. Geçmiş kategorilerle eşleşen değerlere yönelik özel bir bellek sistemi sunulabilmesi için 4. sistem ile 1, 2, 3. maddelerde betimlenen sistemler arasında süregelen bir etkileşim olmalıdır. Edelman, somut hiçbir örnek vermiyor; bu yüzden, onun yerine ben bir tane bulmayı deneyeceğim: Bir hayvanın sıcağı soğuktan daha değerli bulduğunu varsayalım. Hayvan, bu değeri, benliğin dışında bulunup sıcak ve soğuğun içsel deneyimlerine neden olan nesnelerin kategorileri ile ilişkilendirir. Bu noktada, sıcaklık için güneş ışığı deneyimini ve soğukluk için de kar deneyimini örnek verebiliriz. Bu hayvan, sıcağı ve soğuğu meydana getiren olayların sıralamasına karşılık gelen kategorilere sahiptir ve anıları da, o sırada devam eden algısal kategorileştirmelerle bağlantılıdır.

6. Sonuncu ve en önemli madde ise, algısal kategorileştirmelere hasredilmiş olan özel bellek sistemi ile anatomik sistemler arasında bir dizi yeniden-girişli bağlantının gerekli olmasıdır. Bahsedilen yeniden-girişli

bağlantıların işleyişi, birincil bilincin ortaya çıkmasını sağlayacak ye-
terli koşulları sunar.

Özetleyecek olursak, Edelman'a göre, şimdi sayacağımız koşullar
bilinç sahibi olmak için gerekli ve yeterlidir: Beyin, kategorileştirme
işlemi için bir sisteme sahip olmalıdır. Ayrıca, Edelman'ın tanımladı-
ğı bellek türlerine ve bir öğrenme sistemine de sahip olmalıdır; ki bu
sistemde öğrenme, değerleri de içermek zorundadır. Beyin, benlik ile
dünyanın geri kalanı arasında ayrım yapabilmelidir. Olayları zaman
içinde sıralayabilen beyin yapıları da zaruridir. Hepsinden önemlisi de,
beyin, bu anatomik yapıları bağlamak için global yeniden-giriş yolakla-
rına ihtiyaç duyar.

Ben, Edelman'ın nesrini pek anlaşılır bulmuyorum ve sıkıntının ör-
nek eksikliğinden kaynaklandığını düşünüyorum. Elimden geldiğince
kuramını yeniden yapılandırarak ortaya koymaya çalıştım. Edelman,
kendi ifadeleriyle kuramını şu şekilde özetler:

> Birincil bilinç, aslında geçmiş değer kategorisinin bağıntılarına dair anı-
> lar ile mevcut dünyanın global haritalamalar tarafından kategorilendi-
> rilmiş girdisi arasındaki gerçek zamanlı etkileşimin sonucudur (fakat söz
> konusu etkileşim, bu haritalamaların bileşenleri içsel durumlar tarafın-
> dan değiştirilmeden önce gerçekleşir). (s. 155)

Ve şöyle devam eder:

> Başka bir biçimde söylersek, bilinç, tekrarlı bir biçimde karşılaştırma
> yapan bir belleğin ürünüdür. Bu bellekte, evvelki benlik/benlik-olmayan
> şeklindeki kategorileştirmeler, mevcut algısal kategorileştirmelerle ve
> onların kısa süreli ardıllarıyla *kesintisiz* bir biçimde ilişki halindedir. Bu
> ilişkililik hali, bu algısal kategorileştirmeler belleğin bir parçası haline
> gelene dek sürer. (s. 155)

Üst-düzey bilinç, sadece birincil bilinç temelinde geliştirilebilir.
Öyle ki, bir hayvanın dil ve sembollerle kendini ifade etmesine benzer
üst-düzey yetenekler geliştirebilmesi için öncelikle bilinçli olması şart-
tır. Üst-düzey bilinç, bizim gibi hayvanların sadece hissedebildiklerin-
de ve algılayabildiklerinde değil, aynı zamanda benlik/benlik-olmayan
ayrımını sembolize edebildiklerinde (yani bir benlik kavramına sahip
olduklarında) evrilir. Bu benlik kavramı ise, yalnızca sosyal etkileşim

üzerinden ortaya çıkabilir. Edelman'a göre, bu gelişme nihayetinde sentaks ve semantiğin gelişmesine de yol açar. Bunlar da, hayvanların o anki mevcut deneyimlerinden bağımsız şekilde plan yapabilmelerini sağlayan geçmiş, şimdiki zaman ve gelecek arasındaki ilişkileri sembolize edebilme yeteneğini kapsar.

Bu özette, tüm bunların beynin gerçek anatomisine nasıl uygulanabileceğine dair ayrıntıları dışarıda bıraktım. Fakat Edelman, ele aldığı beyin yapılarından hangisinin hangi işlevi gördüğü konusunda oldukça nettir.

Edelman'ın bilinç aygıtı üzerine söyleyeceklerim şimdilik bu kadar. Bu güçlü bir aygıt ve Edelman, kitabının çoğunu, bu aygıttan yapılabilecek çıkarımları detaylı bir biçimde geliştirmeye ayırmış. Kitapta, yeniden-kategorileştirme olarak bellek, uzay ve zaman, kavram oluşturma, öğrenme için zorunlu olan değer, dil ve üst-düzey bilincin gelişimi, akıl hastalığı ve başka konular üzerine bölümler de yer alıyor. En etkileyici spekülasyonlarından biri, şizofreni gibi bazı akıl hastalıklarının yeniden-giriş mekanizmalarındaki bozulmaların bir sonucu olabileceğine dairdir.

Peki neden bu kuramın bir bilinç açıklaması olduğunu düşünelim? Daha önce belirttiğim gibi bu, nörobiyoloji literatüründe bilinç sorunuyla uğraşan girişimler arasında bugüne kadar gördüğüm en kapsamlı ve derinlikli olanıdır. Crick gibi Edelman da kendi kuramının çoğunu spekülatif bulur, ama daha isabetli olduğunu düşünür. Sınanacak tezler olmadan bilgimizde hiçbir ilerleme kaydedemeyiz. Ancak yine de asıl zorluğun ne olduğu çok açıktır: Şu ana kadar Edelman, tüm bu özelliklere sahip bir beynin, bu durumdan dolayı niçin duyarlık ve farkındalığa da sahip olduğuna dair hiçbir sebep göstermemiştir. Hatırlayın; algısal kategorileştirme, değer ve bellek gibi daha önce sözünü ettiğim birincil bilince ait tüm o özelliklerin, sadece yapılarının ve gördükleri işlevlerin tanımlanması üzerinden anlaşılabileceği farz edilmektedir. Onların hâlihazırda bilinçli olduklarını düşünmemeliyiz. Buradaki görüş, bütün bu birbirine kenetli sistemler dizisinin yeniden-girişli haritalamalar yoluyla bilinç ürettiğidir. Fakat şimdiye kadar anlattığımız gibi beyin, bilinçli olmaksızın da tüm bu işlevsel ve davranışsal niteliklere (yeniden-girişli haritalar da dahil) sahip olabilir.

Bu sorun, daha önce karşılaştığımız sorunla aynı: Bütün bu yapılardan ve onların işlevlerinden, bazı filozofların "nitelceler" adını verdiği ve hepimizin sahip olduğu niteliksel farkındalık ve duyarlık durumlarına nasıl varıyoruz? Kırmızı rengi gördüğümüz veya sıcağı hissettiğimiz zamanki farkındalık durumumuz, siyah rengi gördüğümüz veya soğuğu hissettiğimiz zamanki farkındalık durumumuzdan niteliksel olarak farklıdır. Edelman, nitelceler sorununun oldukça farkında. Bu soruna *The Remembered Present*'da verdiği yanıt *Bright Air, Brilliant Fire*'daki yanıtından biraz farklı görünüyor bana; fakat her ikisini de yeterli bulmuyorum. *The Remembered Present*'da, sıcağın neden sıcaklık hissi verdiğini bilimin söyleyemeyeceğini ve bizim de ondan bunu beklememiz gerektiğini dile getiriyor. Fakat bana göre, bir bilinç nörobiliminin bize anlatması gerektiği şey tam da budur: Beynin hangi anatomik ve fizyolojik özellikleri bilinç sahibi olmamızı sağlar ve bu özelliklerden hangisi hangi özel bilinçli durum biçimlerini ortaya çıkarır? Başka pek çok şey gibi kırmızının kırmızılığının veya sıcağın sıcaklığının algısı, tam da açıklanması gereken bilinçli durumlardır.

Bright Air, Brilliant Fire'da Edelman, nitelceler sorununu çözemeyeceğimizi dile getirir. Çünkü, ona göre, herhangi iki insan aynı nitelcelere sahip olamaz ve bilim –genelleme yapmaya yönelik tutumuyla– hiçbir şekilde bu özel ve özgül farklılıkları açıklayamaz. Fakat bana kalırsa asıl zorluk bu değildir. Her insanın parmak izi de birbirinden farklıdır; fakat bu, cildi bilimsel olarak ele almaktan bizi alıkoymaz. Benim ağrılarımın sizinkilerden biraz farklı olduğunda şüphe yok ve belki de bu ağrıların nasıl ve niçin farklılık gösterdiğine dair asla eksiksiz bir nedensel açıklama getiremeyeceğiz. Bununla birlikte, ağrıların beyin süreçleri tarafından nasıl oluşturulduğuna dair bilimsel bir açıklamaya hâlâ ihtiyacımız var ve böyle bir açıklamanın, bir insanın ağrısı ile diğerinin ağrısı arasındaki çok küçük farklar hakkında endişelenmesine gerek yoktur. Dolayısıyla bireysel deneyimin özgünlüğü, bireysel deneyim meselesini bilimsel araştırma sahasının dışına koymaz.

Herhangi bir bilinç açıklaması, öznel farkındalık durumlarını, yani bilinçli durumları hesaba katmalıdır. Edelman'ın açıklaması şöyle bir zorlukla karşı karşıyadır: Beynin fizyolojik özellikleri ya bilincin kurucusudur –yani bir şekilde bilinç durumunun yapısını oluştururlar– ya da bilince neden olur. Fakat bilincin kurucusu olmadıkları açıktır, çünkü beyin bu özelliklerin hepsine sahip olup yine de tümüyle bilinçdışı olabilir. Dolayısıyla, aralarındaki ilişkinin nedensel olması gerekir ve bu yorum, Edelman'ın gerek ve yeter şartlar üzerine söyledikleriyle de desteklenmektedir. Fakat eğer beyin bilince neden olduğu düşünülen fiziksel yapılara sahipse, o zaman o yapıların bunu nasıl gerçekleştire-bildikleri açıklanmalıdır.

Bütün bunlar nasıl işliyor olabilir? Farz edelim ki yeniden-giriş mekanizmalarının beynin uyarı girdilerine karşılık gelen bilinçdışı kategorileri geliştirmesine nasıl neden olduğunu anladık; bu mekanizmalar farkındalık durumlarına tam olarak nasıl neden olur peki? Bu noktada, bütün bu işleyen aygıtlara sahip olma açısından yeteri kadar zengin olan bir beynin zorunlu olarak bilinçli olması gerektiği savunulabilir. Fakat aynı soru, böyle bir nedensel hipotez için de geçerlidir: Beyin bilince nasıl neden olur? Gerçekten de bu mekanizmalara sahip beyinler bilinçli, sahip olmayanlarsa bilinçsiz midir? Şu halde gizem varlığını korumaya devam eder. "Nitelceler" dediğimiz içsel ve niteliksel duyarlık ve farkındalık durumlarına neyin sebep olduğu meselesi, bilinç sorununun bir kenara bırakılabilecek bir boyutu değil, aksine sorunun *ta kendisi*dir. Çünkü her bilinçli durum niteliksel bir durumdur ve "nitelceler", tüm bilinçli durumların bilinci için kullanılan yanıltıcı bir isimdir sadece.

Edelman, ikisi de fikir bakımından oldukça zengin iki enfes kitap yazmıştır. Dikkat çekici bir bilgelikle, kuantum mekaniğinden bilgisayar bilimlerine ve şizofreniye kadar çeşitli konular üzerine tartışmaktadır; üstelik iç görüleri de çoğunlukla büyüleyicidir. Kuramının etkileyici başka bir özelliği de, beyindeki hangi nöronal yapının hangi işlevden sorumlu olduğunu ayrıntılı bir şekilde açıklama girişimidir. Edelman, pek çok konuda Crick'ten farklı düşünmesine rağmen, ikisi de çalışmalarına yön veren tek bir temel fikri paylaşırlar: Zihin ve bilinci anlamak için beynin nasıl çalıştığını ayrıntılarıyla kavramamız gerekir.

❹.

Roger Penrose, Kurt Gödel ve Hücre İskeletleri

1.

Bu kitapta ele aldığım çalışmaların tümü, bir şekilde beyin ve bilinç arasındaki ilişkiyi ele almaktadır. Crick, Edelman, Israel Rosenfield ve bendeniz –muhtemelen nöronlar, sinapslar ve nöron grupları düzeyinde gerçekleşen– beyin süreçlerinin bilince neden olduğunu düşünüyoruz. Dennett ve Chalmers, beyinleri, bilinci muhafaza eden bir çeşit hesaplamalı cihazdan veya bilgi-işleme cihazından ibaret sayıyor.[1] Roger Penrose'un *Shadows of the Mind*[2] [Zihnin Gölgeleri] kitabı da beyinler ve bilinç üzerine olmasına karşın diğerlerinden çok daha soyut bir düzeyde yazılmıştır. Üç yüz ellinci sayfaya gelinceye kadar beyin anatomisine dair önemli bir şeye rastlanmıyor; kitabın genelinde de bilince has özelliklerle ilgili çok az tartışma mevcut.

Peki Penrose'un yaklaşımı neden bu denli farklı? Kendisi, alanı araştırırken kullandığı geniş bakış açısı için iyi sebeplere sahip olduğuna inanmaktadır. Ona göre konuyla ilgili klasik tartışmalar, yirminci yüzyılın en önemli iki entelektüel başarısının istisnai meyvesini ihmal etmektedir. Bunlardan biri kuantum mekaniği, diğeri ise matematiksel

---

1 Doğrusunu söylemek gerekirse, Dennett (5. Bölüm'de göreceğimiz üzere) en sonunda bilincin gerçek varlığını inkar ediyor.

2 *Shadows of the Mind: A Search for the Missing Science of Consciousness* (Oxford University Press, 1994).

sistemlerde doğru olan ifadelerin bulunduğu ancak bahsedilen ifadelerin bu sistemler içerisinde ispatlanamayacağını gösteren Gödel teoremidir. Bu klasik tartışmalar (benimki de dahil), zihinsel süreçleri en azından simüle etmek veya modellemek için bilgisayarları kullanabileceğimizi varsayar. Ayrıca, önceki bölümde tasvir ettiğim nörobiyolojik türdeki süreçlerin bilinci açıklamak için doğru fenomenler olduğunu da farz eder. Penrose'a göre, eğer zihin çalışmaları açısından Gödel teoreminin içerimlerini ve kuantum mekaniğinin önemini anlamış olsaydık, bu varsayımların ikisini de çoktan reddetmiş olurduk.

Diğer yazarlar, bilinci tanımlamaya ve beynin bilinci oluşturmak için nasıl işlediğini tarif etmeye çalışırlar. Penrose ise, kesinlikle ne beyin ne de bilinç tartışmalarından birine girer. Kendisi öncelikle Gödel teoremine, ardından da kuantum mekaniğine odaklanır. Çünkü daha derin olan bu meseleleri anlamaksızın bilinci ve onun beyin ya da bilgisayarlarla olan ilişkisini makul bir şekilde tartışamayacağımızı düşünür. Eğer Penrose haklıysa, bilinç ve beynin ilişkisine dair yapılan çağdaş tartışmaların çoğu iflah olmaz bir yanlış kavrayıştan ibarettir. Penrose'un hedefi, bunu ispatlamaktır. Onun karmaşık ve dolambaçlı argümanlarını incelerken bu hedefi akılda tutmamız gerekir.

Emperor's New Mind'ın[3] [Kralın Yeni Usu] devamı niteliğindeki *Shadows of the Mind*'da Penrose, ilk kitapta üzerinde durduğu noktaların çoğunu, hem onları daha da geliştirmek hem de orada ileri sürdüğü görüşlere yapılmış itirazları cevaplamak suretiyle tekrarlamıştır. *Shadows of the Mind* iki eşit kısma ayrılır. Birinci kısımda, bizim bilgisayar olmadığımızı ve bilgisayarlarda simüle dahi edilemeyeceğimizi ispatlamaya çalışmak için Gödel'in matematiksel sistemlerin noksanlığına dair ünlü ispatının bir çeşidini kullanır. Yani yalnızca Güçlü YZ değil Zayıf YZ de yanlıştır. Kitabın ikinci yarısında ise, uzun bir kuantum mekaniği açıklamasıyla birlikte kuantum mekaniği kuramının bilinci –klasik fiziğin yapamayacağı bir biçimde– nasıl açıklayabileceğiyle ilgili birtakım tahminler sunar. Yeri gelmişken söyleyeyim; bu eser, iki muhteşem keşfe (Gödel eksiklik teoremi ve kuantum mekaniği) dair bu denli uzun ve net açıklamalar bulunduran –bildiğim kadarıyla– tek kitaptır.

---

3 *Emperor's New Mind: Concerning Computers, Minds, and the Laws of Physics* (Oxford University Press, 1989).

Ayrıntılarına girmeden evvel bu argümanı, insan bilişinin simülasyonuna yönelik hesaplamalı girişimlere dair mevcut tartışmalarla bağlantılı olarak konumlandırmak isterim. Bilgisayarlar hakkında, bu çağda olduğundan daha mantıksız konuşulan bir zaman dilimi herhalde var olmamıştır. İşte bunun bir örneği: Deep Blue adındaki bir satranç-oynayan program yakın zamanlarda dünyanın en iyi satranç ustalarını yenmeyi başardı. Peki böyle bir programa nasıl bir psikolojik önem atfetmeliyiz? Basında bunun, insanlık onuru ya da bu tarz bir şeye yönelik nasıl bir tehdit oluşturabileceğiyle ilgili çok fazla tartışma yürütüldü. Fakat bir bilgisayarın ne olduğu ve bu programların hangi işlevleri yerine getirdiği bilindiği takdirde, böyle olağanüstü sonuçların hiçbiri cazip bulunmayacaktır. Bir bilgisayar, sembolleri işleyen bir cihazdır. Cihazın bu sembolleri oldukça yüksek bir hızda (saniyede milyonlarca) işlemesini sağlayan elektronik biçimleri icat etmiş durumdayız. Satranç-oynayan bilgisayarlarda ise, satranç hamlelerimizin simülasyonunu bilgisayardaki anlamsız sembollere kodlayabiliyoruz. Bilgisayarı bu sembolleri çok hızlı işleyebilecek şekilde programlayabiliyoruz ve ardından, satrançla ilgili şeyler diye deşifre ettiğimiz yönergeleri ortaya çıkarmasını sağlıyoruz. Fakat bilgisayar ne satrancı ne hamleleri ne oyun taşlarını ne de başka herhangi bir şeyi bilir. O yalnızca bizim kendisine verdiğimiz yönergeler doğrultusunda anlamsız semboller işlemeye devam eder.

Medya, Deep Blue'nun insanlık onurunu tehdit etmesi hakkında ne düşündüğümü sorduğu zaman şu cevabı vermiştim: Bir cep hesap makinesi herhangi bir matematikçiden ya da mekanik bir hendek kazıcı, elinde kürek olan bir insandan daha üstün olduğu için insanlık onuru ne kadar tehdide uğradıysa şimdi de o kadar tehdide uğramıştır. Bazı hesaplamalı programlar insan bilişinin biçimsel özelliklerini taklit etmeye çalışır. Ancak son çıkan satranç-oynayan programlar bunu bile yapmıyor. Bu programlar yalnızca "kaba kuvvet" olarak bilinen şeyle başarıya ulaşıyor. Rakibinin hamlelerine karşılık milyonlarca karşıt hamleyi (saniyede 200 milyon hamle) hesaplayabiliyorlar. Bu, herhangi bir gerçek satranç oyuncusunun düşünce süreçlerinden tamamen farklıdır. Bu nedenle, Deep Blue'nun (ki harika bir programlama başarısı olduğu noktasında hiçbir şüphe yok) insan ya da insanüstü psikolojisinin bir parçası olmamasının iki sebebi vardır. Birincisi, başka herhangi bir dijital bilgisayar gibi o da anlamsız sembolleri işleyerek çalışmaktadır.

Semboller sadece, bizim gibi dışarıdan yorumcuların onlara atfettiği anlamlara sahiptir. İkincisi, satranç oynayan programlar insan psikolojisini simüle etmeye dahi çalışmazlar. Onlar rakiplerini yenmek için yalnızca, modern elektroniğin hesaplamalı kaba kuvvetini kullanırlar.[4]

Daha yakın bir tarihte *The New York Times* yeni matematiksel teorem-ispatlama programlarının artık gerçek akıl yürütmeye çok benzer şeyler yapabildiğini bildirdi. Fakat –bilgisayarın bakış açısından– bu "gerçek akıl yürütme"nin, anlamsız sembollerin işlenmesinden başka bir şey olmadığını tekrar belirtmek isterim. Programlamanın öyle yollarını bulduk ki, bilgisayarlar teoremleri ispatlayabiliyor ve bazen de programcının dahi öngöremediği sonuçlar üretebiliyorlar. Bu, programcılar ve mühendisler açısından kayda değer bir başarıdır. Fakat burada söz konusu olan şey, insanın bazı bilişsel yeteneklerinin simüle edilmesidir ve Çince Odası Argümanı'nda da gördüğümüz gibi, simülasyonu kopyalamayla karıştırmamak gerekir. Bilgisayarın Alan Turing tarafından yarım yüzyıl önce yapılmış tanımını bilen herkes, modern dijital bilgisayarların, normalde sıfırlar ve birler olarak bilinen biçimsel sembolleri işlemeye yarayan bir cihaz olduğunu da bilecektir. Dışarıdaki bir programcı ya da kullanıcı tarafından kendilerine bir yorum atfedilinceye kadar bu semboller anlamsızdır.

Bu noktada, şu türden yaygın itirazla karşılaşırız: "Nöronların bir bakıma iki bileşenli olduğunu göz önüne alırsak, beynin de sıfırları ve birleri işlediğini düşünemez miyiz? Bir nöron ya ateşlenir ya da ateşlenmez. Ayrıca, eğer beyin ikili kodlarla çalışıyorsa, o zaman onun da kesinlikle bir dijital bilgisayar olması gerekir." Bu analojide birçok yanlış bulunmaktadır, fakat bunların en önemlisi şudur: Nöronlar ile bilgisayardaki semboller arasında var olan en önemli fark, nöronların bilinci ve diğer zihinsel fenomenleri oluşturmak için belirli biyolojik mekanizmalar aracılığıyla *nedensel olarak* faaliyette bulunmasıdır. Ama sıfırlar ve birler tamamıyla soyuttur. Bunların sahip olduğu tek nedensel güç ise, uygulama vasıtası olan donanımın, makine çalışırken programın bir sonraki adımını üretebilmesidir. Nöronlar gerçekten de bir bilgisayar programı tarafından *simüle edilebilir;* ancak, bir yağmur fırtınasının

---

4 Ayrıntılar için bkz. Monty Newborn, *Kasparov versus Deep Blue: Computer Chess Comes of Age* (Springer, 1997).

bilgisayardaki simülasyonu veya yangın alarmı, yağmur ve yangın oluşturacak nedensel güçleri ne kadar sağlayabilirse nöron ateşlemelerinin simülasyonu da nöronların bilince neden olan gücünü o kadar sağlar. Beyin simülatörü olan programın kendi başına bilinci meydana getirme ihtimali, yangın simülatörü olan programın evi yakıp kül etmesi ya da yağmur simülatörü olan programın hepimizi sırılsıklam bırakması ihtimalinden daha fazla değildir.

Bütün bunlar Penrose'un aşina olduğu noktalardır ve inanıyorum ki bu söylediklerimin hiçbirini reddetmeyecektir. Fakat o, bilinçli insanoğlunun bilgisayarların simüle dahi edemeyeceği şeyler yapabileceğini göstermek için daha da ileri gitmeyi istemektedir. Bilincin salt hesaplamalı simülasyonu ile beynin bilince neden olan gücünün gerçekten kopyalanması arasındaki ayrımı onaylayan Penrose, bilincin simüle dahi edilemeyecek bazı özelliklerinin bulunduğunu düşünür. Bilgisayarların satranç oynayabildiğini ve matematik teoremlerini ispatlayabildiğini kabul eder, ama bilinçli öznelerin yapıp bilgisayarların yapamayacağı bazı şeylerin bulunduğuna da inanır.

Penrose, hesaplamanın bilinçle ilişkisi konusunda sergilenebilecek dört duruşu birbirinden ayırt etmekle başlar kitabına:

A. Güçlü YZ: Bilinç ve diğer zihinsel fenomenler tümüyle hesaplamalı süreçlerden oluşur.

B. Zayıf YZ: Beyin süreçleri bilince neden olur ve bu süreçler bir bilgisayarda simüle edilebilir. Fakat hesaplamalı simülasyon tek başına bilinci garanti etmez.

C. Beyin süreçleri bilince neden olur, fakat bu süreçlerin "uygun şekilde hesaplamalı bir simülasyonu dahi mümkün değildir" (s. 12).

D. Bilinç, hesaplamalı olarak veya başka herhangi bir tür bilimsellikle açıklanamaz.

Tıpkı benim gibi Penrose da A'yı yani Güçlü YZ'yi reddeder, ancak benden farklı olarak o B'yi de reddetmiştir. Çok daha sert bir duruş olan C'yi ise savunmak niyetindedir. Ona göre, Zayıf YZ dahi yanlıştır. D, onun reddetmek ve C'den ayrı tutmak istediği bilimsellik karşıtı bir duruştur. Eğer A'nın yanlış olduğunu ve hesaplamanın kendi başına bilinç için yeterli olmadığını baştan kabul ediyorsa, o halde neden C'yi savunmanın önemli olduğunu düşünmektedir? Penrose bunu şu şekilde cevaplar: Bilim, "işleyen bir bakış açısı"nı benimser. Eğer bir bilgisayar tıpatıp insan gibi davranmaya programlanabilseydi, insanlarınki gibi zihinsel durumlara sahip olduğunu düşünmek bilimsel açıdan çok cazip olurdu. Penrose'un yapmak istediği, böylesi bir programa sahip olunamayacağını göstermektir. Bilincin insan davranışı biçimindeki dışsal tezahürleri, hesaplamalı bir şekilde simüle edilemez ve gerçekte bu davranıştan nedensel olarak beyin sorumlu olduğuna göre, beyin de simüle edilemeyecektir. Beyin ve bedenin fiziksel olduğu düşünülürse, buradan tüm fiziksel süreçlerin de (özellikle de bilinç içeren süreçler) hesaplamalı olarak simüle edilemeyeceği sonucu çıkar. Penrose, şaşırtıcı bir şekilde, kitap boyunca bilinç üzerine çok az şey söylemiştir. İleride de göreceğimiz gibi o bunun yerine, bilincin fiziksel davranıştaki ve özellikle de matematiksel akıl yürütme faaliyetlerindeki "dışsal tazahürler"i ile ilgilenir.

Bu uzun ve zor bir kitap, fakat argümanın genel yapısı şu şekilde özetlenebilir (bu özet ona değil bana aittir):

1. Gödel teoremi (matematiksel sistemlerde), doğru olan ancak sistemin teoremleri olarak ispatlanamayan ifadeler bulunduğunu ispatlamıştır.

2. Gödel teoreminin özgün bir biçimi olan sonlanma sorununun çözülemezliği, bilinçli davranışlarımızın bir bilgisayarda simüle dahi edilemeyeceğini ispatlamak için kullanılabilir. İleride de göreceğimiz gibi "sonlanma sorunu", hesaplamanın sonlanıp sonlanmayacağını (veya duraksayıp duraksamayacağını) belirleyecek olan bir dizi matematiksel işlem elde etme ihtimaliyle ilgilenen tümüyle soyut matematiksel bir sorundur. (Örneğin, eğer bilgisayarımızı 1, 2, 3, ... dizisiyle başlayacak ve 8'den büyük bir sayı bulacak şekilde programlarsak 9'da duracaktır. Ancak, eğer iki tane çift sayının toplamı olan bir tek sayı bulmasını istersek asla sonlanmayacaktır; çünkü böyle bir sayı mevcut değildir. Bu ispat, sonlanamayan [*nonstopping*] ve sonlanamadığı da gösterilemeyen fakat her şeye rağmen sonlanamadığını görebileceğimiz bazı hesaplamalı işlemlerin mevcut olduğuna işaret eder. Ayrıntılar için bu bölümün ekine bakınız.)

3. Nöronlar hesaplanabilirdir, yani çeşitli özellikleri hesaplamalı olarak simüle edilebilir. Dolayısıyla, nöronlar bilinci açıklaya-

maz. Çünkü bilinç hesaplanabilir olmayan özelliklere sahiptir ve nöronlar hesaplanabilir.

4. Bilinci açıklamak için "özü itibarıyla hesaplanabilir olmayan" bir şeye gerek duyarız. Bu şey nöron-altı düzeyde, muhtemelen de nöronlardaki mikrotübüller düzeyinde olmalıdır. Bunun kavranabilmesi fizikte bir devrimi gerektirecektir.

Şimdi okuyacağınız kısımda, Penrose'un 2, 3 ve 4 numaralı yargılarla ilgili argümanlarını açıklayacağım ve bu yargıların hiçbirinin doğruluğunun onun argümanları tarafından ortaya konulamadığını göstermeye çalışacağım.

Penrose'un, bilinçli insanların gerçekleştirdiği hiçbir matematiksel işlemin bir bilgisayarda simüle edilemeyeceğini kastetmediğini vurgulamamız önemli olabilir. Elbette simüle edilebilirler. Matematikçilerin yaptığı şeylerin çoğu ve sıradan insanların yapabildiği matematiksel işlemlerin neredeyse hepsi bilgisayarlarda simüle edilebilir. Penrose, sadece, bir bilgisayarda simüle edilemeyecek –özellikle Gödel teoremiyle de örneklendirildiği gibi– bilinçli insan düşüncesine ait bazı kısımlar olduğu konusunda ısrarcıdır. Tekrar etmek gerekirse, Penrose, matematiksel yeteneklerimizin hiçbirinin simüle edilemeyeceğini söylemiyor; daha ziyade, onların hepsinin simüle edilebilir olmadığını söylüyor. Argüman, baştan sona matematiğin birtakım esrarlı alanlarıyla ilgilidir. Bir sohbet esnasında, en iyi bildiği şey matematik olduğu için matematiği vurguladığını belirtmişti. Ama kendisi müzik, sanat ya da diğer bilinçli insan etkinlikleri hakkında da benzer argümanların ileri sürülebileceği görüşündedir. Mesele, bir matematikçi olarak matematiksel yeteneklerinin *tümünün* bilgisayarda simüle edilemeyeceğini göstermek istemesinden ibarettir. Yeteneklerinin yüzde 99.9'unun simüle edilebileceği olgusunu konu etmek gereksizdir. Penrose'a göre, Zayıf YZ'ye yalnızca bir karşıt-örnek bulmak onu reddetmek için yeterli olacaktır.

2.

Hesaplamacılığa karşı ileri sürülen Gödel argümanının ilk sürümü, Oxfordlu filozof John R. Lucas'ın altmışların başında basılan bir makalesine kadar geri gider.[5] Lucas'a göre Gödel, matematiksel sistemlerde, o sistemlerin sınırları içinde teoremler olarak ispatlanamadıkları halde doğru olduklarını görebildiğimiz bazı ifadeler bulunduğunu göstermiştir. Bir sisteme ait teorem, sistemin aksiyomlarından mantıksal olarak çıkarılan herhangi bir ifadedir. Lucas, şuna benzer bir örnek verir: Biçimsel herhangi bir sistemde 1, 2, 3 vs. şeklinde numaralandırılmış bir ifadeler listesinin bulunduğunu ve 17 numaralı ifadenin de kendisi hakkında olduğunu varsayalım. Diyelim ki bu ifade şöyle desin:

17. 17 numaralı ifade, bu sistemin içinde ispatlanabilir değildir.

17 numaralı ifadenin doğru olduğunu görebiliriz çünkü onu yanlış addetmek kendisiyle çelişen bir varsayımda bulunmak olur. [17'nin] ispatlanabilir olmadığının ispatlanabilir olduğunu farz etmek, onun hem ispatlanabilir hem ispatlanamaz olduğunu farz etmek demektir. Böylece, 17'nin doğru olduğunu ve doğru olduğu için de ispatlanamaz olduğunu görebiliriz.

17 numaralı ifadeye dair bir doğruluk mevcut değilmiş gibi göründüğü için sağduyu bize burada şüpheli bir şeyler olduğunu söyleyecektir. İspatlanabilir veya ispatlanamaz olan bu doğruluk nedir? Bununla birlikte, çoğu matematikçi ya da mantıkçı bu şekilde düşünmez. Onlara göre 17 numaralı ifade, doğruluk üzerinden düşünüldüğü takdirde son derece yerinde bir ifadedir. Standart matematiksel-mantıksal İngilizcenin bir ürünü olarak düşünüldüğünde de 17. ifadede bir yanlışlık bulunmaz. [Bu ifade] yalnızca, kendisinin ispatlanamaz olduğunu bildirmektedir. Sahip olduğu tek doğruluk da budur. İleride de göreceğimiz gibi, Gödel'in örnekleri bundan daha karmaşıktır; fakat örneklerin hepsi, ispatlanamadıkları halde doğru oldukları görülebilen durumları sağlayan aynı ilkeye dayanır.

Lucas, bu tür örneklerden hareketle, bizim anlama yetimizin herhangi bir bilgisayarınkini aştığı sonucuna ulaşır. Bir bilgisayar yalnızca algoritmalardan –bir sorunu çözmek ya da bir önermeyi ispatlamak için yapılması gerekli eylemler dizisini belirleyen kesin kurallar kümesi– yararlanır. Dolayısıyla bilgisayar bir teoremi ispatlayacaksa,

---

5 "Minds, Machines and Godel", *Philosophy*, c. 36 (1961), s. 112-127. A. R. Anderson'da yeniden basım, *Minds and Machines* (Prentice Hall, 1964).

teorem-ispatlayıcı bir algoritma kullanmalıdır. Fakat sistem dahilinde ispatlanamayan, doğru olduğunu gördüğümüz bazı ifadeler de mevcuttur. Bu nedenle bu tür ifadeler sistemin teoremleri değildir. Dolayısıyla, teorem-ispatlayıcı bir algoritmayla da ispatlanamazlar. Bu yargıdan hareket eden Lucas, gerçeklerle ilgili bilgimizin algoritmik olmadığı sonucuna ulaşır. Bilgisayarlar yalnızca algoritmaları kullanır (program, bir algoritmadır) ve bu da bizi, bilgisayar olmadığımız sonucuna götürür.

Lucas'ın argümanına karşı birçok itiraz ileri sürüldü, içlerinde en öne çıkanı ise şu şekildedir: Bu gerçeklere dair bilgimizin teorem-ispatlayıcı bir algoritma yoluyla gelmiyor olması, tüm bu sonuçlara ulaşırken hiç algoritma kullanmadığımız anlamına gelmez. Algoritmaların tümü teorem-ispatlayıcı algoritmalar değildir. Bilişsel bilimlerden örnek verecek olursak, görme işlemini simüle eden bir program, alışıldığı şekliyle retina üzerindeki uyarı diziliminin iki boyutlu tasvirinden, görme alanının üç boyutlu bir tasvirini oluşturmaya yarayan bir algoritmaya sahiptir.[6] Örneğin bu algoritma, retinadaki uyaranın bir objenin üç boyutlu görüntüsünü nasıl üreteceğini belirler. Retinaya ait uyarandan çıkıp üç boyutlu tasvire geçiş yapan algoritma, herhangi bir teoremi ispatlıyor değildir. Lucas tarafından da irdelenen türden bir olguda dahi benzer bir algoritmaya sahip olabiliriz. Öyle ki bu algoritma, kendisinin sistemdeki bir teorem olarak ispatlanamayacağını söyleyen bir ifadenin o sistemde bir teorem olarak ispatlanamayacağını, ancak yine de doğru olduğunu görmemizi mümkün kılar. Bu durum söz konusu ifadenin doğruluğu teorem-ispatlayıcı bir algoritma tarafından ortaya konmasa dahi geçerli olabilir. Kısacası, teorem-ispatlayıcı bir doğaya sahip olmayan birtakım hesaplamalı usüller kullanmamız ihtimal dahilindedir.

Bunun, Lucas'ın argümanına yöneltilen uygun ve standart bir itiraz olduğuna inanıyorum. Penrose, Gödel'in ispatının güzel bir sürümünü kullanarak Lucas'ın bu argümanını yeniden işler hale getirdi. İlk olarak Alan Turing tarafından yapılmış olan bu ispat, genellikle "sonlanma sorununun çözülemezliğinin ispatı" diye adlandırılır. Sonlanma sorunu, daha önce söylediğim gibi, "herhangi bir hesaplamanın sonlanıp sonlanmayacağını (ya da duraksayıp duraksamayacağını) belirleyecek bir matematiksel işlemler dizisi bulmak" şeklinde ifade edebileceğimiz, tü-

---

6 Bkz. David Marr, *Vision* (W. H. Freeman and Co., 1982).

müyle soyut matematiksel bir sorundur. Bir matematikçi olmayan ben bile bu argümanı anlayabildiğimi düşünüyorum ve eğer onu anlamaya çalışmazsak sahip olduğu felsefi önemi değerlendiremeyeceğimiz için, argümanı takip etmek konusunda istekli olanlara bu bölümün ekinde onun bir özetini sundum.

Peki Penrose, sonlanma sorununun çözülemezliğini, bilgisayar olmadığımızı ispatlamakta tam olarak nasıl kullanır? Bu soruya olması gerektiği gibi cevap vermek o kadar da kolay değil. Penrose, kitabında (s. 75 ve devamı), sağlam bir A hesaplamalı süreçler dizisini *bilir* isek, sonlanmayan bazı hesaplamaların –yani $C_k(k)$'nın– bulunduğunu da biliriz der. (Bir $C_k(k)$ hesaplaması, k numarası üzerinde işleme geçmiş olan k'ıncı hesaplama olsun. O halde, eğer k 8'e eşittir dersek, $C_k(k)$ 8 numaradaki 8. hesaplama olur.) Fakat sonlanma sorununun çözülemezliğinin ispatı, A hesaplamalı algoritmalar dizisinin $C_k(k)$ hesaplamasının sonlanmadığını tespit etmekte yetersiz olduğunu ortaya koyar. Dolayısıyla A, bizim anlama yetimizi kapsayamaz. A, herhangi bir hesaplamalı algoritma dizisi olabileceğine göre, buradan, bizlerin bir algoritmayı yürüten bilgisayarlar olmadığımız sonucu çıkar. Penrose vardığı bu sonucu şu şekilde özetler:

> Bilinebilir şekilde sağlam [*knowably sound*] hiçbir hesaplamalı kurallar dizisi (örneğin, A), hesaplamaların sonlanmadığını saptamakta asla yeterli olamaz. Çünkü bu kurallardan bağımsız olan bazı sonlanmayan hesaplamalar mevcuttur (örneğin, $C_k(k)$). Dahası, A'nın ve onun sağlamlığının bilgisinden yola çıkarak hiçbir şekilde sonlanmadığını *görebildiğimiz* bir $C_k(k)$ hesaplaması oluşturabildiğimize göre, A'nın, hesaplamaların sonlanmadığını saptamak için matematikçilerin kullanabileceği süreçlerin bir biçimselleştirmesi *olamayacağı* sonucuna varırız. A ne olursa olsun bu durum değişmeyecektir. (s. 75-76)

Bu nedenle,

> İnsan matematikçiler matematiksel gerçekleri ortaya koyarken, bilinebilir şekilde sağlam bir algoritma kullanmazlar. (s. 76)

(Penrose'un, matematikçiler asla algoritma kullanmaz şeklinde bir iddiada bulunmadığını tekrarlamakta fayda var. Elbette, çoğu zaman algoritmalardan yararlanırlar. Fakat onun söylemek istediği şey, matematikçilerin bazen bundan fazlasını gerçekleştirdikleridir.)

Psyche[7] adlı internet dergisinde söz konusu kitabı üzerine yürütülen müteakip tartışmalardan birinde Penrose, [kuramının] kısmen farklı bir sürümünü öne sürer. Bu sürümde, bahsedilen algoritmanın "bilinebilir şekilde sağlam" olması gerektiğini açıkça dile getirmez. "Herhangi bir algoritmanın insanların matematiksel yeteneklerini kapsadığı" şeklinde bir hipotez ortaya koyar ve ardından bu hipotez üzerinden bir çelişkiye ulaşır. Kısacası, bir *reductio ad absurdum* [saçma olana indirgeme] argümanı sunar: Bilgisayar algoritması yürüten bir bilgisayar olduğumu farz edin, o zaman bu varsayım üzerinden bir çelişki açığa çıkarabilirsiniz. Bence *Psyche* sürümü, Penrose'un argümanının en muhtasar ifadesidir ve bu kısmın devamında onu özetleyeceğim.

İnsanlar tarafından ulaşılabilir ve çürütülemez matematiksel akıl yürütme yöntemlerinin tümünün biçimsel bir sistem olan B tarafından kapsandığını farz edelim. B, birtakım doğru aksiyomlar ve geçerli çıkarımlar veren bir dizi çıkarsama kuralı içerecektir ancak bunlara mahkum olmayacaktır. Böylesi "yukarıdan-aşağıya" yöntemlere ek olarak, işin içine katmak isteyeceğiniz herhangi bir "aşağıdan-yukarıya" hesaplamalı yöntem de içerebilir. Yukarıdan-aşağıya yöntemler, matematiksel aksiyomlar ile mantıksal akıl yürütmenin ilkeleri gibi üst düzey fenomenleri içerecektir. Aşağıdan-yukarıya yöntemler ise, matematiksel akıl yürütmemizin zemininde yer alan alt düzey beyin süreçlerini simüle edecek algoritmaları içerecektir. Penrose'un ifadesiyle, B ile karşılaşan ideal bir matematikçi, "B, insanlar tarafından erişilebilir matematiksel ispat yöntemlerinin tümünü kapsar mı?" anlamında "Ben, B miyim?" diye merak edebilir. Dolayısıyla, B ile karşılaşan böyle bir matematikçi şöyle akıl yürütebilir: B olduğumu kesin bir şekilde bilemem; ama eğer ben B isem, o zaman hem B sağlamdır hem de B'nin birlikte-evetlenmesi [*conjunction*] ile benim B olduğum iddiası sağlamdır. Bu birlikte-evetlemeye B' diyelim. Benim B olduğum varsayımından hareketle, hesaplamanın sonlanmadığına yönelik Gödel

---

7 "Beyond the Doubting of a Shadow: A Reply to Commentaries on Shadows of the Mind", *Psyche: An Interdisciplinary Journal of Research on Consciousness*, 2/23 (Ocak 1996), http://psyche.cs.monash.edu.au.

ifadesinin –ki bu ifadeyi $G(B')$ şeklinde de gösterebiliriz– doğru olduğu
sonucuna ulaşılır. Onun doğru olduğunu görebilirim. Fakat bu, B''nün
bir sonucu değildir: Yani, B olacak olmam durumunda Gödel'in $G(B')$
ifadesinin de doğru olacağını görebilirim; ifadeyi anladığım anda onun
doğru olduğunu da görebilirim. Aslında bu türden algılar tam da B''nün
elde edebileceği şeylerdir, fakat B' bu tür algıları elde edemez. Elde ede-
mez çünkü söz konusu doğruluk B''nün bir sonucu değildir. Bu nedenle,
nihai kertede ben B olamam.

Kısacası, benim B *olduğum varsayımı* –burada B, "Gödelleştirilebi-
lir" herhangi bir hesaplamalı süreçler dizisine tekabül eder– bir çelişki-
ye yol açar. B'nin güçlerinin ötesine geçen ifadelerin doğruluğunu algı-
layabiliyorum ve bu, B'nin benim bütün güçlerimi kapsadığı iddiasıyla
çelişiyor. Bu argüman, B olabilecek her şey için geçerlidir.

Peki Penrose'un argümanlarından ne çıkarmamız gerekir? Çok sayı-
da mantıkçı, filozof ve bilgisayar bilimcisi bu argümana teknik açılardan
öyle ya da böyle itirazlarda bulunmuştur. Argümanın asli haline yönel-
tilen en yaygın itiraz ise şudur: Matematiksel yeteneklerimizi açıklaya-
bilecek "bilinebilir şekilde sağlam" bir algoritmanın bulunmaması ger-
çeğinden, bu yetenekler için hazırlanmış, doğru olduğunu bilmediğimiz
hatta belki de bilemeyeceğimiz bir algoritmanın da olamayacağı sonu-
cuna ulaşılmaz. Bilinçdışı bir şekilde bir programa uyduğumuzu ve bu
programın, tek seferde tamamını kavrayamayacağımız kadar uzun ve
karmaşık olduğunu farz edelim. Adımların her birini anlayabiliriz fakat
tek seferde programın bütününü kavrayamayacağımız sayıda basamak
vardır. Yani, Penrose'un argümanı, bilebildiğimiz ve anlayabildiğimiz
şeyler üzerine temellendirilmiştir. Ancak, hesaplamalı bilişsel bilim açı-
sından, insanların bilişsel sorunları çözmek için kullandığı varsayılan
programları anlayabilmeleri gerekmez.

Bu itiraz, Hilary Putnam tarafından *The New York Times Book
Review*'da yayınladığı Penrose eleştirisinde ortaya konulmuştu.
Penrose'un argümanıyla ilgili olarak Putnam, "bu, apaçık bir matema-
tiksel safsata vakasıdır" şeklinde bir ifade kullandı. Penrose ise buna iki
öfkeli mektupla karşılık verdi.[8] Penrose, epeydir bu itirazın farkındaydı

---

8 *The New York Times Book Review*, 20 Kasım 1994, s. 7; 18 Aralık 1994, s. 39; ve 15 Ocak
  1995, s. 31.

ve kitabında da uzun uzadıya tartışmıştı. Aslında kitabında, ileri sürdüğü bu argümana karşı yöneltilen yirmi kadar itirazı dikkate almış ve onlara ayrıntılı bir şekilde cevap vermiştir (s. 77-116 arası). Penrose'un amacı, bilinebilir olmayan, bilinçdışı herhangi bir algoritmanın bilinçli, bilinebilir herhangi bir algoritmaya indirgenebileceğini göstermektir. Ona göre, algoritma sonlu olduğu müddetçe her adım bilinebilir ve anlaşılabilirdir. Fakat eğer her adım bilinebilir ve anlaşılabilirse, o zaman nihai kertede adımların tümü bilinmiş ve anlaşılmış bir hale gelebilir (s. 133 ve devamı).

Penrose'un anlatmak istediğini en iyi resmeden şey, robotlar örneğidir. Penrose'a göre, eğer insan düzeyinde matematik yapabilecek bir robot üretecek YZ projesi başarıya ulaşsaydı, o zaman insan düzeyindeki matematik zorunlu olarak teorem-ispatlayıcı yöntemlere indirgenebilir olacaktı. Çünkü bir robot, sadece teorem-ispatlayıcı yöntemler kullanabilir. Fakat insan düzeyinde matematiğin teorem-ispatlayıcı yöntemlere indirgenebileceği varsayımı tam da onun tasvir ettiği çelişkiye yol açar. Yalnızca teorem-ispatlayıcı yöntemleri kullanan robot, Gödel'in cümlesinin doğruluğunu kavrayamaz, fakat [bir insan olarak] ben bu cümlenin doğruluğunu kavrayabilecek durumdayım. Bu nedenle sahip olduğum şey, robotun teorem-ispatlayıcı yöntemleriyle sınırlandırılamaz.

Bu sebeple Penrose, bilincin dışsal tezahürlerinin en azından bir kısmının, hesaplamanın dışsal tezahürlerinden farklı olduğu sonucuna varır.

3.

Bana kalırsa, bu noktaya kadar tartışmayı Penrose kazanıyor gibi görünmektedir. Matematiksel mantıkçıların ve filozofların çoğunun ikna olmadığını fark ediyorum; fakat ileri sürdüğü argümanın, anlamadığımız algoritmaları kullanıyor olmamız üzerine dayandığına ya da buna denk düştüğüne inanmıyorum. Nereden bakarsak bakalım, *Psyche*'deki makalesinde bu meseleden kaçınmaya çalışıyor. Yürüteceğim tartışmada, bu tarzda bir itirazın Penrose'un ortaya koyduğu şeye zarar vermediği hususunda kendisinin haklı olduğunu varsayacağım. Peki [bu şekilde ele aldığımızda] o neyi ispatlamış oluyor? Zayıf YZ'nin imkânsız olduğunu ispatlamış oluyor mu?

Hayır, ispatlayamamıştır. Bana kalırsa, Penrose'un argümanındaki hatalı akıl yürütme çok basit bir şekilde ortaya koyulabilir: Hesaplamalı simülasyonun belirli bir tipinin bir tanımlama altındaki bir süreçten çıkarılamıyor olması, hesaplamalı simülasyonun başka bir tipinin başka bir tanımlamanın altındaki yine aynı süreçten çıkarılamayacağı anlamına gelmez. Bunun nasıl işliyor olabileceğine dair bazı örnekler sunacağım. Penrose'un argümanının son şeklini hatırlayın: *"Matematiksel akıl yürütme yöntemleri"*nin toplamını al. Onlara B de. Şimdi ben, B olup olmadığımı merak ediyorum. B olmam ve B'nin sağlam olması varsayımından (bu varsayımların birlikte-evetlenmesine B' adını ver) Gödel'in $G(B')$ cümlesinin doğru olduğunu görebilirim; fakat Gödel'in cümlesinin doğruluğu B''nden kaynaklanmaz. Dolayısıyla benim B olduğum varsayımı bir çelişki yaratır. Yani ben B olamam.

Buraya kadar gayet iyi. Matematiksel akıl yürütme düzeyinde, matematiksel ispatın yalnızca sağlam yöntemlerini kullanan bir program aracılığıyla simüle edilemiyor olmam, argümanın gösterdiği tek şeydir. Penrose'un çıkardığı sonuç ise, Gödel cümlelerinin doğruluğunu kendileri aracılığıyla gördüğüm süreçler *ne olursa olsun hiçbir tanım kapsamında* simüle edilemeyeceğimdir. Bu sonuç çıkarılamaz. Yalnızca, simülasyonlarımızı "matematiksel akıl yürütme yöntemleri" ile sınırlandırdığımız sürece Penrose'un sonucuna ulaşılabilir. Geçerli olduğu takdirde bu argüman benim B olamayacağımı —burada B, ister yukarıdan-aşağıya isterse aşağıdan-yukarıya olsun, matematiksel akıl yürütmenin her bir yöntemini yakalamak için tasarlanmıştır— gösterir sadece. Penrose'un argümanı, benim B'yi simüle eden bir program tarafından simüle edilemeyeceğimi ortaya koyar. Fakat bütün bilgisayar simülasyonları B biçimini almak zorunda da değildir.

Zekice tasarlanmış bir Zayıf YZ türü, gerçek bilişsel süreçleri taklit etmeye kalkışmalıdır. Bilişsel süreçleri simüle etmenin bir yolu, beyin süreçlerini simüle etmektir. Beyin simülasyonları ise hiçbir şekilde normatif bir karakter taşımazlar. Örneğin, algısal yanılsamaları üreten süreçlerin simülasyonunu içerirler. Sağlamlık [*soundness*], geçerlilik [*validity*] vb. sorunlar sindirim ya da hava durumu süreçlerinin simülasyonunda ne kadar ortaya çıkıyorsa, bu simülasyonlar söz konusu olduğunda da durum bundan fazlası değildir. Bu simülasyonlar yalnızca, matematiksel ve matematiksel olmayan türden akıl yürütme eylemlerimizin altında yatan bir demet kaba, kör nörolojik süreci simüle edebilir. Fakat bu temel noktayı tekrar etmemiz gerekirse, sağlamlık ya da sağlam-olmamaklık türünden bir mesele mevzubahis değildir. Nörolojik süreçler, sağlam ya da sağlam-olmama şeklinde yargılanmak üzere aday dahi gösterilemezler.

Öncelikle önemsiz bir programı düşünün. Bu program standart ikili sembolleri, 0 ve1'i kullanıyor olsun. 0, "Penrose (ya da bir ideal matematikçi), Gödel'in cümlelerinin doğruluğu üzerine düşünüyor" ve 1 de, "Penrose, onun doğruluğunu görüyor" anlamına gelsin. Daha sonra Bir Numaralı Program, "durum 0'dan durum 1'e git" komutunu versin. Bu, Penrose'un matematiksel akıl yürütmesinin mükemmel bir simülasyonudur. Penrose buna katılırdı, ayrıca bu örnekten rahatsız olacağını da sanmıyorum. Bana gönderdiği bir mektupta, hem çok basit olduğu hem de hiçbir şey açıklamadığı için bu simülasyonun "kendi bilişsel süreçlerinin simülasyonu" olamayacağını dile getirmişti. Basit olduğu konusunda hemfikirim fakat yine de dikkate alınmaya değer olduğunu düşünüyorum. Çünkü herhangi bir dijital bilgisayarın sahip olduğu her şey de, böylesi basitliklerin sonlu bir diziliminden ibarettir. Herhangi bir şey için üretilmiş herhangi bir bilgisayar programı, tam da böylesi ikili formüllerle ifade edilmiş bir dizi birbirinden ayrı duruma dayanır. YZ'nin amaçlarından biri de, karmaşık zihinsel süreçleri bunun gibi basit adımlara indirgemektir. Öyleyse gelin biraz daha derine inelim. Penrose'un da kabul edeceğini düşündüğüm, "beyin süreçleri ve düşünce süreçleri arasında sıkı bir ilişki vardır" şeklindeki mantıklı varsayımda bulunursak, burada toplamda iki beyinsel süreç mevcuttur. Bunlardan ilki, Penrose'un Gödel'in cümlesi üzerine düşünmesi ve onun doğru olup olmadığını merak etmesiyken; ikincisi ise, Penrose'un onun doğru olduğunu görmesi olacaktır. Bu beyin süreçlerini X ve Y şeklinde adlandıralım. Bir Numaralı Program'a paralel olan İki Numaralı Program şu şekilde [komut versin]: X durumundan Y durumuna git. "X" ve "Y" burada nöron ateşlemeleri veya nöroileticilerle vs. tanımlanan beyin durumlarını işaret eder. Bu süreçler düşünmeyle ilgili hiçbir şey söylemez. Fakat hem bağımsız bir şekilde arada sıkı bir ilişkinin bulunduğunu hem de Penrose'un beyninin nasıl çalıştığını bilen biri, X ve Y'nin tanımları üzerinden düşünme süreçlerine dair bir okuma yapabilir. Başka bir deyişle, beyinde gerçekleşen ve tıpatıp aynı olan olaylar dizisi, zihinsel içeriklerinden söz etmek veya etmemek suretiyle tasvir edilebilir.

Tamam, İki Numaralı Program'ın da en az Bir Numaralı Program kadar saçma ve aptalca olduğunu kabul ediyorum. O halde Üç Numaralı Program'a geçelim. Penrose'u, Gödel'in cümlesinin doğruluğunu görmeye yönelten bir yığın düşünce süreci mevcuttur. Onun bunu yüz (ya da bin veya bir milyon, hiç fark etmez) adımda yaptığını varsayalım. Bu adımlara karşılık gelecek, tam anlamıyla paralel işleyen, B_1, B_2, B_3, B_4... şeklinde bir dizi beyin süreci olacaktır. Hatta biraz daha ileri gidip, "B_1'den B_2'ye, B_2'den B_3'e... B_{100}'ü bulana kadar git ve ardından Y'ye git" diyen bir programımız olduğunu düşünelim. Dikkat edilecek olursa, bu programdaki basamakların ve bunlara karşılık gelen beyindeki adımların "matematiksel akıl yürütme yöntemleri", "doğru yargılar", "sağlamlık" ya da geri kalan matematiksel aygıtların hiçbiriyle ilgili herhangi bir şey söylemedikleri görülür. O, bir demet nöron ateşlemesini başka bir demet nöron ateşlemesinin izlemesinden ibarettir. Burada söz konusu olan yalnızca, başından sonuna kadar yol boyunca devam eden kaba ve kör nörobiyolojik süreçlerdir. Matematiksel akıl yürütme yöntemlerine dair kesinlikle hiçbir şey söylenmiyor olmasına rağmen, yine de bu ikisi [matematiksel akıl yürütme ile beyin süreçleri] arasındaki bağıntılardan *bağımsız bir şekilde* haberdar olan herhangi biri, beyin süreçleri üzerinden düşünce süreçlerini okuyabilirdi.

Penrose'un argümanı, hesaplamalı bir simülasyonun *matematiksel akıl yürütme* düzeyinde var olamayacağını gösterir. Tamam öyle olsun; fakat buradan hareketle, beyin süreçleri düzeyinde gerçekleşen olaylar dizisiyle tamamen aynı olan bir hesaplamalı simülasyonun yapılamayacağı sonucuna varılamaz. Böylesi bir beyin süreçleri düzeyinin var olması gerektiğini biliyoruz, çünkü herhangi bir matematiksel akıl yürütmenin beyinde gerçekleşmek zorunda olduğunu biliyoruz. Yalnızca bütün nörobiyologlar değil Penrose'un kendisi de zihinsel durumlardaki herhangi bir değişikliğin beyin durumlarındaki bir değişiklikle mükemmel bir şekilde eşleşmesi gerektiğine katılacaktır. Dikkat ederseniz, aynı matematiksel düşünceye sahip herhangi iki matematikçi için, onların beyin durumlarının da her zaman aynı olduğu şeklinde bir varsayımda bulunmaya ihtiyaç duymayız. Belki de aynı türden düşünceler için bile, beyin kavrayışının belirli aşamaları farklı beyinlerde birbirinden farklıdır. Bu durum, yalnızca bir matematikçinin zihninde süregelen herhangi bir fiili, matematiksel akıl yürütme olayı açısından, bu olaya yönelik birtakım beyin farkındalığının mevcut olması gerektiğini ortaya koyan bu argüman için önemsizdir. Yani Penrose, Gödel'in cümlelerinin doğruluğunu gördüğü esnadaki kendi beyin süreçlerine dair saçma olmayan hiçbir simülasyonunun bulunmadığını göstermiyor.

Penrose, hem yukarıdan-aşağıya hem de aşağıdan-yukarıya akıl yürütme yöntemlerini *B* bünyesine dahil ettiği vakit, bu tür itirazlara yer vermediğini düşünür. Akıl yürütmenin aşağıdan-yukarıya yöntemleri beyin mikro düzeyinde gerçekleşse dahi, Penrose, bu düzeyde doğruluğu garantileyen bazı matematiksel akıl yürütme yöntemlerinin elde edilebileceği görüşündedir. Yine de Üç Numaralı Program adını verdiğim şeyde ne yukarıdan-aşağıya ne de aşağıdan-yukarıya hiçbir matematiksel akıl yürütme yöntemi bulunmaz. Üç Numaralı Program'ın işaret ettiği unsurlar, "Nöroiletici serotonin, prefrontal korteksteki 391X numaralı 87 nöron topluluğunun sinaptik aralıklarına salgılanır" gibi şeyler olacaktır. Dolayısıyla bu noktada "sağlamlık" ya da başka türden bir değerlendirme söz konusu olamaz. *B* ve Üç Numaralı Program arasındaki temel fark, *B*'nin normatif olmasıdır. *B*, matematiksel doğruluğu garantilediği varsayılan matematiksel akıl yürütmenin normatif standartlarını ortaya koyar. Fakat kaba ve kör beyin süreçlerinde normatif hiçbir şey bulunmaz ve buna karşılık gelecek şekilde, bu süreçleri simüle eden programlarda da normatif hiçbir şey yoktur.

Ortaya koyduğum bu argümana itiraz edilebilir. Sanıyorum Penrose da önerdiğim bu tür bir simülasyonun, doğruluk yargılarının varlığını garantilemediği şeklinde bir itirazda bulunurdu. Söz konusu simülasyon matematiksel doğruluğu garantilemez. Böyle bir iddia doğru olurdu, fakat bu bir itiraz sayılmaz. Gerçek beyin süreçleri de aynı şekilde doğruluğu *garantilemez*. Canlı, gerçek beyinler, ampirik ve maddi nesnelerdir; davranışları da sağanaklar, depremler ya da matematik kavrayıcılar gibi başka herhangi bir maddi fenomenin davranışının simüle edilebileceği ölçüde simüle edilebilir. Ya da —durum ne olursa olsun— eğer onların davranışları simüle edilemiyorsa bile, Penrose şu ana kadar böyle bir vakıayı ispat etmiş değildir.

Peki, ya robotlarla ilgili argümanı? Penrose, elbette bir bilgisayarın ve daha ziyade bir robotun aynı matematiksel akıl yürütmeleri gerçekleştirebileceğini kabul eder. Fakat o, bir insanın muktedir olduğu bütün matematiksel akıl yürütmeleri yapabilecek türden bir robotun programlanamayacağını gösterdiği kanısındadır. Ama bu iddiası da sınırlandırılmak zorundadır. Yalnızca algoritmik matematiksel akıl yürütme programlarıyla programlanmış bir robotun insan seviyesinde matematiksel akıl yürütmeler gerçekleştirmek üzere programlanamayacağını göstermiştir. Yapmış olduğu şey yalnızca budur, tabii eğer haklıysa. Ama bir de [bu robotu] tam anlamıyla normatif olmayan beyin simülasyon programlarıyla programladığınızı farz edin. Bu programlarda "doğru yargılar" ya da "sağlamlık" mevzubahis değildir. Onun argümanındaki hiçbir kısım, "insan düzeyinde matematiksel akıl yürütme"nin (tıpkı gerçek insan beyinlerinin bir ürünü olarak ortaya çıkmasına benzer şekilde) robotun beyin simülasyon programının bir ürünü olarak ortaya çıkamayacağını göstermemektedir. Bana kalırsa, bu fikir bir bilimkurgu fantezisidir. Ancak, şu anda işaret etmeye çalıştığım nokta, kendisinin bu olayın prensipte imkânsız olduğunu göstermemiş olduğudur.

Penrose'un temel iddiası, insan düzeyinde matematiğin simülasyonunu gerçekleştirebilen herhangi bir robotun, teorem-üretici usüllere indirgenebilecek bir programa sahip olması gerektiği şeklindedir. Fakat bu iddia yalnızca matematiksel akıl yürütme simülasyonu yapan programlar için doğrudur. Daha önce tarif etmiş olduğum Bir, İki ve Üç Numaralı Programlar ne yukarıdan-aşağıya ne de aşağıdan-yukarıya matematiksel akıl yürütmenin simülasyonunu gerçekleştirmez. Bu programlar matematiksel akıl yürütmenin normatif olmayan beyin bağıntılarını simüle eder. *Tıpkı insan beyninin matematiksel algoritmaları kullanması ama onlardan ibaret olmaması gibi, insan beyninin simülasyonu da matematiksel algoritmaları kullanır ama onlardan ibaret değildir.*

Bu noktayı bir kez daha vurgulamak istiyorum çünkü Penrose'a yönelik itirazımı ortaya koymanın en basit yolu bu. Penrose, kitabında, teorem-ispatlayıcı bir robotla hayali bir diyalog gerçekleştiriyor (s. 179-190 arası). Teorem-ispatlayıcı algoritmalarla programlanmış bu robot, sahip olduğu matematik yeteneğiyle böbürlenmektedir ("Bizler, insanların kendi katı matematiksel beyanlarında sıklıkla yaptıkları türden aptal hatalara düşmeyiz" [s. 181]); ama Penrose, insanların robotların muktedir olmadığı bir şeyi gerçekleştirebildiğini gösterebilmiştir. Gödel'in cümlelerinin doğruluğunu insanlar görebilirken, robotlar bunu başaramaz. Penrose'un insan yetilerini aşan bir robot hayal etmesi, onun Zayıf YZ'nin *gerçek insan bilişini taklit etme*ye yönelik bir girişim olduğunu anlayamadığını gösterir. Bense şimdi Penrose'un hayal ettiğinden farklı türden, gerçek insanların bir simülasyonu olan bir robot hayal etmek istiyorum. Benim robotum der ki: "Ben insanların yaptıklarıyla tamamen aynı olan hatalara düşmekle yükümlüyüm, çünkü benim beynim onların beynini simüle etmek için programlanmıştır. Teorem-ispatlayıcı algoritmalarla programlanmadım, fakat yine de insanlarla aynı şekilde matematik yapıyorum. Çünkü nasıl ki insanların matematiksel yetenekleri onların gerçek beyinlerinin fiziksel özelliklerinin bir sonucuysa, benim matematiksel yeteneklerim de beyin simülatör algoritmalarımın bir sonucudur."

Şimdi, böyle bir robotun yapısının altında yatan ilkeleri ciddi ciddi açıklamaya çalışalım. Eğer insanların yaptıklarıyla aynı şeyleri yapan bir robot yapmak istiyorsak, öncelikle insanın ne olduğunu ve neyi nasıl yaptığını ortaya koymamız gerekir. Matematiksel amaçlar yönünden insanlar beyinleriyle *özdeş*tirler ve beyinleri, matematiksel algoritmalar *kullanır;* fakat beyinleri matematiksel algoritmalarla *özdeş* değildir. Yani, robotumuzda beyin süreçlerini tam olarak simüle eden programlarımız olacak ve bu programlar da matematiksel algoritmaları kullanacaktır. Bu robot matematiksel amaçlar yönünden beyin simülatör programlarıyla özdeş olacaktır ve bu programlar, matematiksel algoritmaları *kullanacak* fakat onlarla özdeş olmayacaktır.

Doğru şekilde programlandığı takdirde böyle bir robot, pratikte matematikçilerin yaptığı her şeyi yapabilecektir. Matematikçilerin yaptığı türden hatalar yapacak, matematikçilerin elde ettiği türden doğru sonuçlar elde edecektir. Hatta bir süre sonra bu robot kendisinin, kullandığı matematiksel algoritmalarla aynı olmadığı şeklinde Penrose tarzı bir ispat önerebilecektir. Bu ispat ise şu şekilde olacaktır:

> Herhangi bir *A* matematiksel algoritma dizisiyle birlikte, *A* hakkındaki bilgimi ve onun sağlam olduğuna dair bilgimi ele alalım. Bu algoritma üzerinden, sonlanmadıklarını görebildiğim hesaplamalar kurabilirim. Fakat *A*'nın kendisi, bu hesaplamaların sonlanmadığını gösterme hususunda yeterli değildir. Buradan da *A*'nın, benim hesaplamaların sonlan-

madığını anlamaya yönelik yöntemlerimin bir biçimselleştirilmesi olmadığı sonucuna varılır vs.

Dikkat ederseniz, bu robot, bunların hiçbiri için bilinçli olmak zorunda değildir. İspat [denilen şey], robotun bilgisayar beyninin bilinçsiz işlemlerinin sonucunda meydana gelen bir bilgisayar çıktısından ibaret de olabilir. Aynı şekilde, bu cümleleri yazmakta olduğum bilgisayar da, bilincin varlığını gerektirmeyen karmaşık çıktılar üretmektedir. Aslında, Penrose'un Gödel'e dair argümanı ile bilinç sorunu arasında zaruri herhangi bir bağlantı görmek zordur. Hiçbir yerde bilinçdışı bir varlığın, kendi öne sürdüğü argümanların tümünü neden üretemeyeceğini izah etmez.

Peki hatalar yapma ihtimaliyle ilgili ne söylenebilir? Benim robotum söz konusu olduğunda (herhangi bir matematikçide de olduğu gibi) belki de hata yapacak denebilir, bunun aksi de söylenebilir. *Gerçekte* hata yapıp yapmadığı konumuzun dışındadır. Burada söz konusu olan mesele, programı meydana getiren hesaplamalı kuralların, matematiksel gerçeği matematiksel bir şekilde *garantileyecek* türden olmamasıdır. Diğer bir deyişle, Penrosecu anlamda, söz konusu hesaplamalı kurallar sağlam değildirler. Bu anlamda, hatalar meselesinin mevzumuzla herhangi bir alakası yoktur. Gerçekten asla hata yapmayan bir matematikçi mevcut olsaydı dahi, bu matematikçi yine de sağlamlık sorununun mevzubahis olmadığı kaba ve kör nörobiyolojik süreçlere dayanan bir beyne sahip olacaktı. Bu matematikçinin hesaplamalı simülasyonu, tam da bu süreçleri simüle edecekti. Bu süreçler pratikte belki hiç hata yapmasa da, ona doğru cevapları bulduran beyin simülatör programları, doğruluğun matematiksel garantisi değildirler. Bizim hayali matematikçimizin beyni gibi, sadece uygulamada işler durumdadırlar.

Gödel teoremi, usta bir biçimsel hileye dayanır. Bunda yanlış bir şey yok. Matematikteki ve mantıktaki birçok sonuç da zekice hilelere bel bağlamıştır. Fakat bilgisayar simülasyonları söz konusu olduğunda, bu biçimsel hile Penrose ve Lucas'ın düşündüğü şekilde sonuçlanmaz. Bunu anlamak için paralel bir manevra düşünün. Birisi çıkıp desin ki: "Bilgisayarlar asla bütün insan davranışlarını tahmin edemez. Düşünün ki bir bilgisayar, 'Everest Dağı'nı, üzerine ketçap sıkıp yedim' cümlesini ilk olarak Jones'un söyleyeceğini tahmin etmiş olsun. O zaman bilgisayarın kendisi, cümleyi ilk defa meydana getirmiş olur, dolayısıyla bu tahmin yanlış olacaktır." Bu argüman yanıltıcıdır; çünkü bir cümleyi fiili olarak üretmeksizin de onu tespit edecek bir öngörüde bulunulabilir. Ancak bu öngörü, cümleyi başka bir tanımlama altında tespit eder (örneğin, alfabenin 9. sıradaki harfinin büyük harfle yazılmış sürümüyle başlayan cümle vs.). Bütün matematiksel karmaşıklığına rağmen, Penrose'un argümanı da benzer bir yanılgıya dayanır. "Teorem ispatlama" ya da "matematiksel akıl yürütme" tanımlaması altında ve düzeyinde bir süreci simüle edemeyeceğimiz gerçeğinden, çok benzer süreçleri çok benzer tahminlerle başka bir düzey ve başka bir tanımlama altında da simüle edemeyeceğimiz sonucu çıkarılamaz.

Bu argümanı özetleyecek olursak: Penrose, "çürütülemez matematiksel akıl yürütmeler" sağladığı düşünülen normatif algoritmaları, sağanaklar ya da hücresel mekanizmalar gibi doğal süreçleri yalnızca simüle edecek türden algoritmalardan ayırt etmek hususunda hataya düşmektedir. Argümanında, beyin süreçleri söz konusu olduğu vakit, ikinci türden algoritmaların mümkün olmadığını gösteren bir şey bulunmuyor. İkinci türdeki algoritmalara yönelik ortaya koyulabilecek asıl itiraz, onun yaptığı değildir. Algoritmalar beynin davranışında nedensel hiçbir rol oynamadığı için asıl itiraz, bu tür bilgisayar modellerinin gerçekten de hiçbir şeyi açıklamadığı şeklinde olandır. Bu algoritmalar, sadece, meydana gelmekte olan şeylerin simülasyonunu ya da modellerini ya da temsillerini temin etmektedir.

4.

Penrose, kitabının ikinci kısmında, kuantum mekaniği ile ilgili mevcut bilgimizi özetler ve kuantum mekaniğinden çıkarılan dersleri bilinç sorununa uygulamaya çalışır. Epey bir bölümü hayli zor okunsa da –kuantum mekaniğinin bugüne kadar görmüş olduğum görece teknik olmayan açıklamalarıyla karşılaştırdığımda– Penrose'unki en berrak olanı gibi görünüyor. Eğer süperpozisyon, dalga fonksiyonunun çöküşü, Schrödinger'in kedisi paradoksu ve Einstein-Podolsky-Rosen fenomeni hakkında bir şeyler öğrenmek istiyorsanız, bulup bulabileceğiniz en iyi yer burası olabilir.

Fakat tüm bunların bilinçle ne alakası var? Penrose'un ortaya koyduğu dayanaksız görüşe göre, klasik fiziğin hesaplanabilir dünyası, zihnin hesaplamalı olmayan hatta ona göre bilgisayar üzerinde simüle dahi edilemeyen özelliklere sahip karakterini açıklamakta yetersiz kalmaktadır. Ona göre, ancak kuantum mekaniğinin hesaplanabilir olmayan bir sürümü bu işi yapmaya muktedir olabilir. Dolayısıyla, kitabının mantıksal yapısı şu şekilde işler: İlk yarıda Gödel teoreminin hesaplanabilir olmayan zihinsel süreçlerin varlığını gösterdiği ve Gödel teoreminde doğru olduğunu düşündüğü şeylerin, genel anlamda bilinç kavramı açısından da doğru olduğu üzerine bir tartışma yürütür. Bilinç hesaplanabilir değildir, çünkü insan bilinci, hesaplamanın başaramayacağı şeyleri başarabilecek kabiliyettedir. Örneğin, bilincimizle Gödel'in cümlelerinin doğruluğunu görebiliriz ve böyle doğrular hesaplanabilir değildirler.

Kitabın ikinci yarısında ise, kuantum mekaniğinin yeni bir sürümünün (hesaplanabilir olmayan kuantum mekaniğinin) bilinç sorununa çözüm sağlayabileceği üzerine bir tartışma yürütür. Penrose'a göre, kuantum mekaniğinin belirsizlik unsurları içermesi sebebiyle, kuantum mekanik bir bilgisayar da bazı rasgele niteliklere sahip olabilir. Ancak, böylesi özelliklere sahip bir bilgisayar bile, özünde hesaplanabilir olmayan insan bilinci niteliklerine dair bir izah getiremeyecektir. Kuantum mekanik bir bilgisayar, rasgele unsurlar içermesine rağmen, hiç değilse içine bazı rasgele nitelikler kurulmuş sıradan bir bilgisayar tarafından da prensipte simüle edilebilir. Yani, kuantum mekanik bir bilgisayar bile, "insanların bilinçli anlama yetisi için gerekli işlemleri yürütebilecek nitelikte olmayacaktır" (s. 356). Çünkü bu türden bir anlama yetisi hesaplanabilir değildir. Fakat Penrose'un inanışına göre, kuantum mekaniğinin fiziği tamamlandığı vakit –yani tatmin edici bir kuantum yerçekimi kuramına sahip olduğumuzda– bu bizi *"gerçekten* hesaplanabilir olmayan bir şeye götürecektir" (s. 356).

Peki bu, beyin bünyesinde nasıl işliyor olabilir? Penrose'a göre, nöronlar düzeyinde bilinç sorununun yanıtını bulamayız, çünkü nöronlar bu iş için fazlasıyla büyüktür. Onlar hâlihazırda klasik fizikle açıklanabilir nesnelerdir ve bu nedenle hesaplanabilirler. Penrose, hesaplanabilir olmaları hasebiyle nöronların, hesaplanabilir olmayan bilinci açıklayamayacaklarını düşünür. Nöronun içsel yapısına bakmamız gerekir ve bunu yaptığımız vakit, orada hücreyi bir arada tutan bir çerçeve ve hücrenin işlemleri için bir kontrol sistemi olan "hücre iskeleti" adlı yapının mevcut olduğunu görürüz. Hücre iskeleti, "mikrotübüller" adı verilen küçük tüpsü yapılar içerir (Şekil 4a ve 4b) ve Penrose'a göre bu yapılar, sinapsların işleyişinde önemli bir role sahiptir (s. 364-365). İşte sunduğu hipotez:

> Çekinerek öne sürdüğüm bu görüşe göre bilinç, kuantum-dolanıklığın-daki [*quantum-entangled*] içsel hücre iskeletine dayalı durumun ve onun kuantum ile klasik düzey etkinliği arasındaki karşılıklı etkileşime dahil oluşunun bir tezahürü olacaktır. (s. 376)

Diğer bir deyişle, hücre iskeleti denilen şey, kuantum mekanik fenomenlerle karışmış haldedir ve mikro düzeyde bulunan bu şey, nöronların (ve diğer büyük parçaların) makro düzeyiyle ilişkiye girdiğinde bilinç ortaya çıkar. Nöronlar seviyesi, bilinci açıklamak için gerekli olan doğru düzey değildir. Onlar belki de hücre iskeleti seviyesinde meydana gelen gerçek eylemin sadece bir *"büyüteç"*idir. Nöronal düzeydeki tasvir, zihnin fiziksel temelini aramamız gereken daha derin düzeylerin "salt *gölge*"si olabilir (s. 376).

Peki, bu durumdan ne çıkarmamız gerekiyor? Bu argümanın spekülatif karakterine itirazım yok, çünkü bulunduğumuz noktada bilince yönelik herhangi bir açıklama zaten spekülatif unsurlar içermekle yükümlü. Bu spekülasyonların asıl sorunu ise, bilinç sorununu bir gün çözebileceğimiz fikrinin nasıl akla yatkın olduğu üzerinde yeterince durmamalarıdır. Söz konusu spekülasyonlar, "eğer kuantum mekaniğine yönelik daha iyi bir kurama sahip olursak ve bu kuram da hesaplanabilir olmayan karakterde olursa, belki o zaman bilince yönelik hesaplamalı olmayan bir açıklama getirebiliriz" biçimindedir. Peki ama nasıl? Bilincin gizeminin, hâlihazırdakinden daha da gizemli bir kuantum mekaniğine sahip olduğumuz vakit çözülebileceğini söylemek yeterli değildir. Bu nasıl işe yarayabilir ki? Burada rol oynadığı düşünülen nedensel mekanizmalar neler olabilir?

Penrose'un girişiminin yanında, bilince yönelik kuantum mekanik bir açıklama getirmeye çalışan birkaç girişim daha mevcuttur.[9] Bu açık-

---

9 Örneğin, Henry P. Stapp, *Mind, Matter, and Quantum Mechanics* (Springer, 1993).

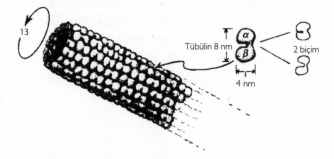

Şekil 4a Bir mikrotübül. Normalde, 13 tübülin dimer kolonu içeren içi boş bir tüptür. Her tübülin molekülü (en az) iki yapı oluşturabilir.

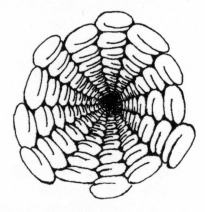

Şekil 4b Bir mikrotübülün aşağı doğru görünümü! Bu mikrotübülde, tübülinlerin 5+8 sarmal dizilimi görülmektedir.

lamalarla ilgili standart şikayet bunların, işin aslı, bir gizemin yerine iki gizem birden koymak istemeleridir. Penrose ise, bunlara bir üçüncüsünü eklemek isteyen biri olarak diğer herkesten ayrılır. Bilincin gizemleri ve kuantum mekaniğinin yanına bir de henüz keşfedilmemiş ve hesaplamalı olmayan kuantum mekaniği olmak üzere üçüncü bir gizemli unsur daha eklemek istiyor. Penrose bu itirazlara, kendisinden bütün sorunları çözmesini beklememizin yerine getirilmesi zor bir istek olduğunu söyleyerek karşılık verir. Bu tür bir isteğin aşırı olduğuna ben de katılıyorum. Ancak burada şikayet edilen şey, bütün sorunları çözmesi meselesinden daha çok, önerisinin, asıl önemli mesele olan bilincin gizeminin nasıl çöz*ebileceği*nin yeterince açık olmayışıdır. İleri sürdüğü hipotetik kuantum mekaniğinin bilinçli süreçleri ortaya çıkarması neden makul olsun? Burada rol alan nedensel mekanizmalar neler olabilir?

Nereden bakarsak bakalım, Penrose'un tüm akıl yürütme hattının arkasında yer alan motivasyon bir yanılgı üzerine kurulmuştur. Diyelim ki Penrose haklı ve bilincin simüle edilebileceği bir tasvir düzeyi *mevcut değil*. Yine de bu bizi, bilince yönelik bir açıklamanın tam da bu sebeple simüle edilemez şeylerden hareketle oluşturulması gerektiği şeklinde mantıksal bir çıkarıma götürmez. Bilincin bilgisayarda simüle edilemeyeceğine yönelik önermeden, bilince neden olan bu şeylerin de bilgisayarda simüle edilemeyeceği çıkarımı yapılamaz. Daha genel bir şekilde ele alacak olursak, belirli bir tasvir düzeyinde hesaplanabilir olmayan süreçlerin, başka bir düzeyde hesaplanabilir süreçlerin bir sonucu olabileceğini varsaymakta herhangi bir sakınca yoktur. Bir örnekle açıklayalım: Kaliforniya'daki her kayıtlı aracın bir Araç Kimlik Numarası (AKN) ve bir de Ehliyet Plaka Numarası (EPN) bulunur. Kayıtlı her araçta mükemmel bir eşleşme söz konusudur. Her EPN için bir AKN ve her AKN için bir EPN mevcuttur. Bu eşleşme gelecekteki her araç için sonsuz bir şekilde devam eder. Çünkü yeni araçlar üretildikçe her birine bir AKN verilir ve Kaliforniya'da kullanılmaya başladıklarında ise her biri bir EPN altında kaydedilir. Fakat birini diğerinden yola çıkarak hesaplamanın bir yolu yoktur. Matematik diliyle ifade edersek, her bir diziyi, potansiyel olarak sonsuz şeklinde analiz etmeye çalıştığımızda, AKN'den EPN'ye olan fonksiyon, hesaplanabilir olmayan bir fonksiyon olur. Fakat bundan ne çıkar? Tek başına ele alındığında hesaplanabilir olmaması son derece önemsizdir ve hesaplanabilir olmayan ilişkililikleri üreten süreçlerin kendilerinin de hesaplanabilir olmamaları gerektiği sonucunu ortaya çıkarmaz. Bildiğim kadarıyla AKN'lerin araba fabrikalarında verilmesi bilgisayarlar tarafından yapılıyor olmalı; öyle değilse bile, böyle yapılması imkân dahilindedir. EPN'lerin verilmesi ise, bilinen en eski algoritmayla yapılmaktadır: İlk gelen alır.

Nihai kertede bu değerlendirmeler, Penrose'un Gödel argümanıyla ilgili yürüttüğümüz tartışmada ulaştığımız sonucu destekler niteliktedir. "Bilinç hesaplanabilir mi?" sorusu, yalnızca bilincin belirli bazı özellikleri ya da işlevleriyle ilişkili olarak ve belirli bir tanımlama düzeyinde ele alındığında anlamlıdır. Hesaplanabilir olmayan belirli bazı işlevleriniz olsa dahi –Gödel'in cümlelerinin doğruluğunu görüyor olmam gibi– bu, o yetinin altında yatan süreçlerin kendilerinin de bazı tanımlama düzeylerinde hesaplamalı bir şekilde simüle edilebilir olmadıklarını göstermez.

Ayrıca, Penrose'un argümanında, hesaplanabilirlik kavramı hakkında süreklilik gösteren başka bir kafa karışıklığı daha bulunmaktadır. Ona göre, nöronların hesaplanabilir karakteri her bir nöronu bir şekilde –"nöral bilgisayar" olarak adlandırdığı– küçük bir bilgisayar haline getirir. Fakat bu da başka bir yanılgıdır. Bir beyzbol topunun yörüngesi hesaplanabilir ve bir bilgisayar üzerinden simüle edilebilir. Fakat bu durum, beyzbol toplarını birer bilgisayara dönüştürmez.

Penrose'un bu kitapta öne sürdüğü argümana yönelik itirazlarımı [genel anlamda] özetlemek gerekirse:

1. Penrose'un, Gödel'in teoreminde Zayıf YZ'nin yanlış olduğuna yönelik işaretler bulunduğunu açığa çıkarmış olduğunu düşünmüyorum. Putnam-tarzı itirazı karşılamak üzere bir nebze onarılmış olsa dahi hâlâ yanıltıcıdır.

2. Zayıf YZ'nin yanlış olduğunu göstermiş olsa bile bu, hesaplanabilir olmayan bilişsel yeteneklerimize yönelik bir izahın, hesaplanabilir olmayan unsurlara atıfla verilmek zorunda olduğunu göstermez. Nöronal davranış, hâlâ bilinç izahını karşılayabilir.

3. Nöron gibi bir şeyin bilgisayarda simüle edilebilir olması, o şeyin kendisinin bir bilgisayar veya bir "nöronal bilgisayar" olduğu sonucuna götürmez.

***

Penrose son derece zeki bir insan ve kitap öyle büyüleyici kısımlara sahip ki, kitabın gerçek-dışı 'Alice Harikalar Diyarında'cı niteliklerini kendinize hatırlatmak için çaba sarf etmeniz gerekiyor. Soyut bir biçimde, "Bilinç hesaplanabilir mi?" şeklinde bir soru sormanın hiçbir anlamı yoktur. Penrose da bu durumun farkına varmalıdır. "Ayakkabılar hesaplanabilir mi?" diye sormak gibi bir şeydir bu. Bu soruyu sormak, ancak bilincin hangi özellikleri hakkında konuştuğumuza ve ne düzeyde bir soyutlaştırmadan bahsettiğimize dair bir tarif söz konusu olduğu takdirde anlamlı olabilir. Ayrıca, bu tarif bir kez yapıldığında, cevaplar da önemsiz olmak durumundadır. Eğer soru, "Bilinçli olarak bilinebilir fakat teoremler olarak ispatlanamaz doğrular, bir teorem-ispatlayıcı algoritma yoluyla ispatlanabilir mi?" şeklinde sorulursa, cevap basitçe "hayır"dır. Eğer soru, "Bilinçli süreçlerin ve onlarla ilişkili beyin süreçlerinin simüle edilebildiği bir tanımlama düzeyi bulunur mu?" şeklinde sorulursa, bu sefer cevap basitçe "evet"tir. Belirli bir adımlar dizisi şeklinde tasvir edilebilen herhangi bir şeyin simüle edilmesi mümkündür.

Penrose'un öne sürdüğü tüm argümanın altında yatan daha derin metafiziksel ön-varsayımları incelemiş değilim. Kendisi bilimin ve matematiğin delilleriyle donanmış bir şekilde karşımıza çıkıyor; fakat aynı zamanda bir klasik metafizikçi, kendisinin de açıkça belirttiği gibi bir Platoncudur. Fiziksel, zihinsel ve matematiksel olmak üzere üç ayrı dünyada birden yaşadığımıza inanıyor. Her bir dünyanın, sonsuz bir döngü içinde, bir sonrakinin temelini nasıl oluşturduğunu göstermeyi amaçlıyor. Fiziksel dünya zihinsel dünyayı temellendirir; buna karşılık, zihinsel dünya da matematiksel dünyayı temellendirir ve matematiksel dünya da fiziksel dünyanın temelini oluşturur ve bu döngü böylece sürüp gider. Penrose'un, bu temellendirici ilişkilerin mahiyetine ya da bu düzenin ne şekilde işlemesi gerektiğine yönelik bütüncül bir izah getirmediğini söylememiz sanırım yanlış olmaz.[10] Böylesi bütüncül bir izahın getirilebileceğini düşünmüyorum ve en azından dünyanın gerçekten nasıl işlediğine yönelik bilgimizle tutarlı olan alternatif bir metafiziksel tasvir önermek istiyorum.

Kesinlikle tek bir dünyada yaşıyoruz. Bana kalırsa, bu dünyayı tasvir ederken "fiziksel" ve "zihinsel" şeklindeki geleneksel Kartezyen kategorileri terk etmek, yapılabilecek en iyi şeydir. Bu dünya para, faiz oranları, Demokratik adaylara ya da onlara karşı oy kullanmak için başvurduğumuz gerekçeler, mantık kuralları, futbol maçlarında atılan goller vs. gibi açık bir şekilde fiziksel veya zihinsel kategorisine sokulamayacak şeyler de içermektedir. Bu tek dünyada, bilinçli zihinsel durumlara sahip bizim gibi biyolojik yaratıklar bulunur. Bu yaratıklardan bazıları ise (örneğin, biz insanlar) bir dile sahiptir ve bu yeti bizlere hesaplama, toplama, çıkarma, çarpma, bölme gibi şeyleri yapma imkanı

---

10 Daha sonraki bir çalışmada Penrose, gerçekliğin üç-dünyası fikrini savunmaya devam etmiştir. Roger Penrose, *The Large, the Small and the Human Mind* (A. Shimony, N. Cartwright ve S. Hawking ile birlikte), ed. Malcolm Longair (Cambridge University Press, 1997).

verir. Bu matematiksel işlemlerin nesnel olmaları, onların başka bir dünyaya –sayıların dünyasına– erişmemizi sağladıkları yanılsamasına düşmemize yol açar. Fakat bu bir yanılsamadır. Kelimelerin sahip oldukları anlamlar başka bir dünyanın parçaları değilse, sayılar da aynı şekilde başka bir dünyanın parçaları değildir. Sayılar, mevcut tek dünyayı ya temsil eden ya da onunla başa çıkmayı sağlayan sistemimizin bir parçasıdır.

Bizler tek bir dünyada yaşıyoruz, iki ya da üç ya da yirmi yedi değil. Bir bilinç felsefesi ve biliminin şu anki temel görevi, sindirim, fotosentez ve diğer her şeyle beraber bilincin de nasıl bu dünyanın biyolojik bir parçası olabildiğini göstermektir. Penrose'a ve çalışmasına hayranlık duymakla birlikte, *Shadows of Mind*'ın asli değerinin, Gödel teoremi ve kuantum mekaniğiyle ilgili ondan çok şey öğrenebilmeniz olduğu sonucuna ulaşıyorum. Bu kitaptan bilinç hakkında çok fazla şey öğrenmeyi beklemeyin.

EK
Gödel İspatı ve Bilgisayarlar

Bu ekte, Penrose'un Lucas'ın iddiasını ispatlamaya çalışırken kullandığı, "Gödel'in eksiklik ispatının Turingci sürümünün Penrosecu sürümü"ne ait benim kendi sürümümü bulacaksınız. Bahsedilen bu ispat, genellikle, "sonlanma sorununun çözülemezliğinin ispatı" diye adlandırılır.

Penrose, özenli bir ispattan ziyade bir özet ortaya koyar ve benim burada yaptığım şey de onun yaptığı özetin bir özeti olacak. Hesaplamalı süreçleri hesaplamalı sonuçlardan ayırt etmeksizin, herhangi bir argüman öne sürmeden bu ikisini eşdeğer kabul etmesi; "X vardır öyle ki" ["there is an X such that"] ya da "her bir X için, X ... şeklindedir" ["for every X, X is such that"] niceliksel tümcelerini devre dışı bırakması ve son olarak da ispatın asli nüshasında mevcut olmayan "bilinen" ve "bilinebilir" şeklinde iki epistemik kavramı ortaya koyması, yaptığı izahın sorunlu yönlerden bazılarıdır. Anlaşılırlığı artırmak amacıyla Penrose'un asıl nüshasında mevcut olan bazı belirsizlikleri ortadan kaldırmaya çalıştım ve parantez içinde de şahsi yorumlarıma yer verdim.

1. Adım: Bazı hesaplamalı işlemler sonlanır (ya da duraksar). Önceki örneğimizi hatırlayalım: Eğer bilgisayarımıza 1, 2, ... vs. sayılarıyla başlayıp 8'den büyük bir sayı aramasını istersek, 9'da duracaktır. Fakat bazı hesaplamalı işlemler sonlanmaz. Örneğin, bilgisayarımıza iki çift sayının toplamı olan bir tek sayı aramasını söylersek —böyle bir sayı mevcut olmadığı için— bu işlem asla sonlanmayacaktır.

2. Adım: Bu noktayı genellemek mümkündür. Herhangi bir n sayısı için C_1, C_2, C_3 vs. şeklinde, n üzerinden işleyen hesaplamalı işlemler düşünelim. Bu hesaplamalı işlemleri, sonlanan ve sonlanmayan olmak üzere iki çeşide ayıralım. Dolayısıyla, n'den büyük bir sayı arama şeklindeki işlem $n + 1$'de sonlanır, çünkü o noktada arama sona erer; n tane çift sayının toplamı olan bir tek sayı arama işlemi ise asla sonlanmaz, çünkü hiçbir işlem bu türden bir sayı bulmaya muktedir değildir.

3. Adım: Peki, hangi işlemlerin asla sonlanmadığını nasıl teşhis edebiliriz? Şöyle ki, A adını verebileceğimiz başka bir hesaplamalı işleme (ya da sonlu bir işlemler dizisine) sahip olduğumuzu varsayalım. A sonlandığında bu durum bize $C(n)$ işleminin sonlanmadığını ifade ediyor olsun. A'yı, hesaplamalı işlemlerin ne zaman sonlanacağına karar veren *bilinebilir* ve *sağlam* yöntemlerin tümünün toplamı olarak düşünün.

O halde, eğer A işlemi sonlanırsa $C(n)$ işlemi sonlanmaz.

(Penrose bir öncül olarak böyle işlemlerin var olduğunu ve onları bildiğimizi varsaymamızı ister. İşte tam da burada epistemoloji işin içine girer. Bu işlemlerin bizler tarafından bilinebilir ve "sağlam" olduklarını düşünmemiz gerekir. Sağlamlık kavramının hesaplamalı işlemlere uyarlanması, bu kavramın oldukça sıra dışı bir kullanımını oluşturur. Penrose'un kastettiği, böylesi bir işlemin her daim doğru veya hatasız sonuçlar ortaya çıkaracak olmasıdır. [s. 73])

4. Adım: Şimdi, $C_1(n)$, $C_2(n)$, $C_3(n)$, ... vs. şeklinde numaralandırılmış bir hesaplamalar dizisi üzerine düşünelim. Bunlar, n üzerinde uygulanabilecek hesaplamaların tümü, yani bütün olası hesaplamalardır. Bunlar bir sayının n ile çarpılmasını, n'nin karesinin alınmasını, n'nin kendisiyle toplanmasını vs. kapsayacaklardır. Bizlerin de bunların belli bazı sistematik yollarla numaralandırılmış olduklarını düşünmemiz gerekir.

5. Adım: Fakat şimdi n üzerindeki bütün olası hesaplamaları numaralandırdığımıza göre A'yı, verili herhangi q ve n sayıları için $C_q(n)$'nin sonlanıp sonlanmayacağını belirlemeye çalışan bir hesaplamalı işlem olarak ele alabiliriz. Örneğin, diyelim ki $q=17$ ve $n=8$ olsun. O zaman A'nın işi, 8 üzerindeki 17. hesaplamanın sonlanıp sonlanmayacağını çözmektir. Böylelikle, $A(q,n)$ sonlanırsa $C_q(n)$ sonlanmayacaktır. (A'nın q ve n sayılarının sıralı ikilileri üzerinden yürütüldüğüne, ancak C_1, C_2, ... vs.'nin tekil sayılar üzerinden işleyen hesaplamalar olduğuna dikkat edelim. Sonraki adımda bu fark giderilecektir.)

6. Adım: Şimdi $q=n$ durumlarını ele alalım. Böyle bir durumda, bütün n'ler için,

eğer $A(n,n)$ sonlanırsa, o zaman $C_n(n)$ sonlanmaz.

7. Adım: Böylesi durumlarda A için sorun oluşturabilecek iki değil yalnızca bir sayı vardır, o da n'dir. Bu durumda A, n sayısı üzerindeki n'inci hesaplamadır. Fakat 4. adımda, daha önce de belirttiğimiz gibi $C_1(n)$, $C_2(n)$,... dizisi, n üzerindeki *bütün* hesaplamaları kapsamaktadır. Dolayısıyla, herhangi bir n için $A(n,n)$, $C_n(n)$ dizisinin bir üyesi olmak zorundadır. Pekâlâ, $A(n,n)$, n üzerindeki k'ıncı hesaplama olsun, yani şöyle olduğunu varsayalım:

$A(n,n)=C_k(n)$

8. Adım: Şimdi $n=k$ durumunu inceleyelim. Böyle bir durumda,

$A(k,k)=C_k(k)$

9. Adım: 6 numaralı adımdan şu sonuca ulaşılır:

eğer $A(k,k)$ sonlanırsa, o zaman $C_k(k)$ sonlanmaz.

10. Adım: 8. adımda açıklanan özdeşliği [bu önermede] yerine koyunca şunu elde ederiz:

eğer $C_k(k)$ sonlanırsa, o zaman $C_k(k)$ sonlanmaz.

Fakat eğer bir önerme kendisini olumsuzluyorsa, yanlıştır. Bu nedenle:

$C_k(k)$ sonlanmaz.

11. Adım: Bunun hemen ardından $C_k(k)$ ile aynı hesaplama olduğu için $A(k,k)$'nın da sonlanmadığı sonucuna ulaşılır. Bu durum, sağlam olduğunu bildiğimiz yöntemlerimizin, $C_k(k)$'nın –gerçekten sonlanmasa dahi– sonlanmadığını bildirmek hususunda yetersiz olduğu anlamına gelir.

Fakat öyleyse A, bize bildiğimiz bir şeyi,

$C_k(k)$ sonlanmaz [şeklindeki bilgiyi] bildiremez.

12. Adım: Böylelikle, A'nın sağlam olduğu bilgisinden hareketle, sonlanmadığı A tarafından gösterilemeyen fakat sonlanmayan bazı hesaplamalı işlemlerin –$C_k(k)$ gibi– mevcut olduğunu gösterebiliriz. Dolayısıyla, A'nın bize söylemediği bir şeyi biliyor oluruz. Demek ki A, bizim anlama yetimizi dışa vurmada yeterli değildir.

13. Adım: Fakat A, sahip olduğumuz bütün *bilinebilir şekilde sağlam* algoritmaları kapsıyordu.

(Penrose "sağlam şekilde bilinen" ibaresinin yanında "bilinebilir şekilde sağlam" ifadesini de kullanır. Bu argüman şimdiye değin bu tarz bir hareketi gerekçelendirmemiştir; ancak sanırım o, bu argümanın yalnızca hâlihazırda bildiğimiz herhangi bir şey için değil, bilebileceğimiz herhangi bir şey için de işe yarayacağını iddia ediyor olmalı. O yüzden kendisi nasıl ifade ettiyse ben de o şekilde bıraktım.)

Böylece A gibi, bilinebilir şekilde sağlam hiçbir hesaplamalı işlem, hesaplamaların sonlanmadığını bildirmek konusunda asla yeterli olamayacaktır. Çünkü $C_k(k)$ gibi sonlanmayan, ancak onların yakalayamadığı hesaplamalar mevcuttur. Dolayısıyla, neyi bildiğimizi tespit etmek için, bilinebilir şekilde sağlam algoritmalar kullanmıyoruz.

14. Adım: O halde bizler bilgisayar değiliz.

5.

Reddedilen Bilinç: Daniel Dennett'ın Açıklaması

Daniel Dennett, zihin felsefesi üzerine çok sayıda kitap yazmış bir filozof olmasına rağmen, bu alanda yürüttüğü çalışmaların doruk noktası olarak *Consciousness Explained*[1] adlı eserini gördüğü çok açıktır. Bu eser, davranışın ve davranışsal eğilimlerin zihinsel durumları inşa ettiği fikrine dayanan davranışçılık ile yalnızca varlığı bilimsel olarak kanıtlanabilen şeylerin mevcut olduğu görüşünü savunan doğrulamacılık geleneği içinde yer alır. Dennett ilk bakışta Crick, Penrose ve Edelman'la kıyaslanabilecek türden bir bilimsel yaklaşımı savunuyor gibi görünmesine rağmen, ilerleyen kısımlarda da göreceğimiz üzere, aralarında çok önemli farklılıklar bulunmaktadır.

Consciousness Explained adlı eserini ele almadan evvel, bilinç kuramlarındaki temel meselenin tam olarak ne olduğunu hatırlatmak amacıyla okuyucumdan küçük bir deney yapmasını rica edeceğim. Sağ elinizle, sol kolunuzun ön kısmına bir çimdik atın. Bunu yaptığınızda tam olarak ne oldu? Pek çok farklı türden şey gerçekleşti. Nörobiyologlara göre, baş ve işaret parmağınızın uyguladığı basınç, cildinizdeki duyusal reseptörlerden başlayıp omuriliğinize ve Lissauer yolağı denilen bölge boyunca hareket ederek omuriliğinizin üst kısımlarına, ardından talamusa ve beynin diğer bazal bölgelerine ilerleyen bir dizi nöron ateşlemesine sebep olur. Bu sinyal daha sonra bedensel-duyusal kortekse ve muhtemelen diğer kortikal bölgelere de gider. Kendi cildinize çimdik atmanızdan birkaç yüz milisaniye sonra ise, uzman yardımı almadan da

---

1 Little, Brown, 1991.

bilgisine sahip olabileceğiniz, ikinci türden bir şey gerçekleşir: Ağrı hissedersiniz. Ciddi bir şey değil, sadece kolunuzun ön kısmındaki deride biraz nahoş bir duyumsamadır. Bu nahoş duyumsama belirli bir öznel hissi de beraberinde getirir; başka insanların ulaşamadığı, yalnızca sizin erişiminize açık bir his. Bu erişilebilirliğin, birtakım epistemik sonuçları mevcuttur –ağrınız hakkında diğerlerinin bilemeyeceği bir yolla bilgi sahibi olursunuz. Ancak burada adı geçen öznellik, epistemik olmaktan çok, ontolojiktir. Yani söz konusu duyumsamanın varoluş biçimi öznel ya da birinci-şahıs niteliğindeyken, nöral yolakların varoluş biçimi nesnel ya da üçüncü-şahıs karakterindedir; acının aksine bu yolaklar, deneyimlenmiş olmaktan bağımsız bir şekilde var olurlar. Ağrı hissi ise, daha önce bahsetmiş olduğum "nitelceler"den biridir.

Ayrıca cildinizi çimdiklediğiniz vakit üçüncü türden bir şey daha gerçekleşti. Önceden sahip olmadığınız bir davranışsal eğilim kazandınız. Biri size "Bir şey hissettin mi?" diye sorsa, muhtemelen ona "Evet, tam şuramda hafif bir çimdik hissettim" gibi bir cevap verecektiniz. Bu esnada, başka birçok şeyin de yaşandığına (örneğin, sağ kolunuz ile ay arasında var olan yerçekimine dayalı ilişkiyi değiştirmeniz gibi) hiç şüphe yok, fakat isterseniz şimdilik biz bu ilk üç şeye odaklanalım.

Size ağrının duyumsanmasıyla ilgili asli unsurun ne olduğu sorulsaydı, sanıyorum ki ikinci olgunun, yani hissin, ağrının bizatihi kendisi olduğu şeklinde bir cevap verirdiniz. Girdi sinyalleri ağrıya *neden olur* ve buna karşılık, ağrı da davranışsal bir eğilime sahip olmanızı sağlar. Fakat acının esas özelliği, kendine has içsel ve niteliksel bir his olmasıdır. Felsefe ve doğa bilimlerindeki bilinç sorunu, bu öznel hislerin açıklanmasıyla ilgilidir. Bunların hepsi ağrı benzeri bedensel duyumlar değildir. Bilinçli düşüncenin akışı da görsel deneyimler de çimdiğin hissedilmesiyle karşılaştırılabilir türden bir bedensel duyum değildir. Buna rağmen, her ikisi de şimdiye kadar sözünü ettiğim ontolojik öznellik niteliğine sahiptir. Öznel hisler, bir bilinç kuramının açıklamak zorunda olduğu *veriler*dir ve nöral yolaklarla ilgili yaptığım kabataslak izah da bu verilerin açıklanmasına yönelik kısmi bir *kuram*dır. Davranışsal eğilimler ise bilinçli deneyimin parçası değil, sonucudur.

Şimdi Daniel Dennett'ın kitabındaki sıra dışılığı ortaya koyabiliriz: Dennett, söz konusu verilerin varlığını inkar eder. Ona göre, ikinci türdeki varlık, yani ağrı hissi yoktur. Nitelce, öznel deneyimler, birinci-şahıs fenomenleri ve buna benzer herhangi bir şeyin mevcut olmadığını düşünür. Dennett, bazı şeylerin bize nitelceler *gibi geldiği*ni kabul eder, fakat bunun gerçekte yaşananlar hakkında yürüttüğümüz yanlış bir yargı olduğunu savunur. Peki ona göre gerçekte yaşanan nedir?

Dennett'a göre, az önceki deneyde cildinize uygulanan basınç örneğinde olduğu gibi sinyal girdilerimiz vardır ve davranışsal eğilimlere sahibizdir; o bunları "tepkisel eğilimler" olarak adlandırır. Bu ikisi arasında ise, cildimizde gerçekleşen farklı basınçlara farklı cevaplar vermemizi, kırmızıyı yeşilden ayırmamızı vs. sağlayan "ayırt edici durumlar" bulunur. Ancak, basınç türlerini birbirinden ayırt etmek için sahip olduğumuz bu türden bir durum, basıncı saptayan makinenin durumundan farksızdır. Bu makine özel bir his deneyimlemez, aslında onda hiçbir içsel his mevcut değildir, çünkü "içsel his" diye bir şey yoktur. Bütün mesele üçüncü-şahıs fenomenlerinden ibarettir: uyaran girdileri, ayırt edici durumlar (s. 372 ve devamı) ve tepkisel eğilimler. Bunları birbirine bağlayan olgu ise, beyinlerimizin bir tür bilgisayar ve bilincin de belirli bir yazılım tipi, beynimizde bulunan "sanal bir makine" olmasıdır.

Dennett'ın kitabındaki ana nokta, içsel zihinsel durumların varlığını reddetmek ve bilince ya da *onun* "bilinç" dediği şeye alternatif bir açıklama önermektir. Ortaya çıkan sonuç ise, Danimarka Prensi'nin olmadığı bir *Hamlet* gösterisidir. Ne var ki Dennett kitabına, benim tarif ettiğim gibi, bilinçli durumların var olmadığını ve orada bir bilgisayar programını işleten beyinden başka bir şey bulunmadığını dile getirerek başlamaz. Bunun yerine ilk iki yüz sayfada öznel bilinçli durumların var olduğu önkabulüne dayanıyormuş gibi görünen soruları tartışır ve bilinç soruşturmaları için bir yöntem önerir. Örneğin, sözde *fi* [*phi*] fenomeni benzeri çeşitli algısal yanılsamaları tartışır. Bu yanılsamada, önünüzde duran iki küçük nokta, kısa bir süre için hızla ve art arda aydınlatıldığında, ileri-geri hareket eden tek bir nokta gibi görünür. Genellikle bu tür örnekleri, ileri-geri hareket eden tek bir nokta görmenin içsel öznel deneyimine sahip olmamıza dayandırarak anlamlandırırız. Fakat Dennett'ın zihninden geçen bu değildir. O, içsel nitelcenin varlığını reddetmek istese de, bu durum kitapta epey ilerleyene kadar ortaya çıkmaz. Kısacası, tezine tamamıyla güvenen ve onu mümkün olduğunca hızlı bir biçimde ortaya koyma kaygısı güden bir adamın açık yürekliliğiyle kalem oynatmıyor. Aksine gerçekte ne düşündüğünü örtbas ettiği için, ilk bölümlere tam bir kaçamak tavır hakimdir. 200. sayfadan önce onun "bilince" getirdiği açıklamanın ne olduğunu çıkarmanız mümkün değil ve gerçekte ne olup bittiğini ise ancak 350. sayfadan sonra anlıyorsunuz.

Kitabının ilk bölümünün esas meselesi, "Kartezyen Tiyatro" modeline karşılık "Çoklu Taslaklar" adını verdiği bilinç modelini savunmaktır. Dennett'a göre, üstü kapalı olarak beyinde her şeyin bir araya toplandığı bir tür Kartezyen Tiyatro'nun bulunması gerektiğini ve burada bilincimizin oynadığı oyuna şahitlik ettiğimizi düşünmeye meyilliyizdir. Buna karşın bütün bilgi edinme durumları dizisinin beyinde, tıpkı bir makalenin çoklu taslaklarına benzer şekilde, meydana geldiği görüşünü geliştirmeye çalışır. İlk bakışta bunun nörobiyoloji için ilginç bir konu olduğu izlenimine kapılabilirsiniz: Öznel deneyimlerimiz beynin neresinde konumlanmıştır? Bir bölge mi yoksa birden fazla bölge mi vardır? Yeri gelmişken belirtelim, nörobiyolojik açıdan tek bir bölge olanaksız görünecektir; çünkü bilinç için zaruri görünen beyindeki her organın (örneğin, Crick'in hipotezine göre talamusun) beynin diğer tarafında bir eşi mevcuttur. Her lob kendi talamusuna sahiptir. Fakat Dennett'ın ulaşmaya çalıştığı nokta bu değil. Öznel durumların beynin tamamında meydana geldiğini düşündüğü için değil, öznel durumlar diye bir şeyin var olduğunu düşünmediği için Kartezyen Tiyatro'ya saldırır. Kendisinin (en hafif deyimiyle) mantığa aykırı görüşlerine getirilecek itirazları yumuşatmak içinse, öncelikle bilinçli deneyimlerimizin gerçekleştiği birleşik tek bir bölge olduğu fikrinden kurtulma yoluna gider.

Eğer Dennett bizim düşündüğümüz şekliyle bilinçli durumların varlığını reddediyorsa, öne sürdüğü alternatif açıklama nedir? Şaşırtıcı olmayan bir biçimde Güçlü YZ'nin bir sürümüdür. Bunu açıklamak için öncelikle kullanmış olduğu dört kavramdan kısaca bahsetmemiz gerekir: von Neumann makineleri, bağlantıcılık, sanal makineler ve memler. Bugün herhangi bir mağazadan satın alabileceğiniz türden bir dijital bilgisayar, saniyede milyonlarca adımlar dizisini yerine getirerek işlemektedir. Buna seri bilgisayar adı verilir ve ilk tasarımları Macar-Amerikan bir bilim insanı ve matematikçi olan von Neumann tarafından yapıldığı için von Neumann makinesi olarak da bilinir. Son dönemlerde, eş zamanlı olarak birbirleriyle etkileşim halinde çalışan, çok sayıda hesaplamalı kanal aracılığıyla paralel bir biçimde işleyen makineler üretmeye yönelik bir çaba ortaya çıktı. Bu makineler fiziksel yapı bakımından insan beynine daha yakınlar. Tam anlamıyla beyin gibi olmasalar da, geleneksel von Neumann makinelerine kıyasla beyne daha çok benzerler. Bu tür hesaplamalar Paralel Dağıtılmış İşlemleme, Nöronal Ağ Modelleme ya da basitçe Bağlantıcılık olmak üzere çeşitli şekillerde adlandırılır. Doğrusu, bağlantıcı bir yapıda –ya da daha çok kullanıldığı şekliyle "mimaride"– gerçekleştirilen herhangi bir hesaplama, seri bir mimaride de gerçekleştirilebilir; ancak bağlantıcı ağlar başka bazı ilginç özelliklere sahiptir: Örneğin, daha hızlıdırlar ve bağlantılarının gücünde meydana gelen değişimler yoluyla davranışlarını değiştirebilir yani "öğrenebilir"ler.

Burada tipik bir bağlantıcı ağın nasıl işlediği görülüyor (Şekil 5). Girdi düzeyinde bulunan bir dizi düğüm girdileri alır. Bunlar 1, -1, 1/2 gibi belirli sayısal değerlerle temsil edilebilir. Bu değerler, bağlantıların tamamı üzerinden bir sonraki seviyenin aynı hizasında bulunan bir sonraki düğüme iletilir.

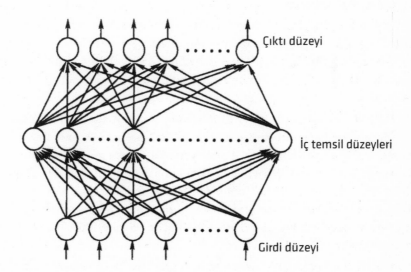

Çıktı düzeyi

İç temsil düzeyleri

Girdi düzeyi

Şekil 5 Basit bir çok-katmanlı ağ. Her birim, üstündeki katmanda bulunan bütün birimlere bağlanır. Yanyol bağlantıları ya da geriye doğru bağlantılar bulunmaz. "İç temsil seviyeleri" sıklıkla "gizli seviyeler" olarak anılırlar.

Her bağlantı belirli bir güce sahiptir ve bu bağlantı güçleri de 1, -1, 1/2 gibi sayısal değerlerle temsil edilebilir. Girdi sinyali, bağlantının bir sonraki düğümü tarafından teslim alınacak değeri elde etmek amacıyla bağlantı gücüyle çarpılır. Böylece, örneğin, 1/2 bağlantı gücüyle çarpılan 1 girdisi, 1/2 değerini söz konusu bağlantıdan bir sonraki düğüme verir. Sinyalleri alan düğümler, aldıkları tüm bu sayısal değerleri toplar ve aynı hizada bulunan bir sonraki düğümler dizisine gönderir. Dolayısıyla bir girdi düzeyi, bir çıktı düzeyi ve "gizli düzeyler" adı verilen bir ya da birden fazla iç düzeyler dizisi mevcuttur. Çıktı düzeyine ulaşılana kadar işlemler dizisi devam eder. Bilişsel bilimlerde ise sayılar, yüz tanımada yüzlerin özellikleri veya İngilizce telaffuz kalıplarında sözcüklerin sesleri gibi modellenmekte olan bazı bilişsel süreçlerin niteliklerini temsil etmek üzere kullanılırlar. Ağın "öğrenme"sinden kasıt ise, isteğiniz sonuca ulaşana kadar bağlantı güçleri üzerinde oynamalar yapmak suretiyle girdi ve çıktı değerleri arasında doğru eşleşmeyi sağlayabilmenizdir. Bu işlemler, genellikle "öğretmen" adı verilen başka bir bilgisayar tarafından gerçekleştirilir.

Bazen bu sistemlerin "nöronlardan esinlenmiş" oldukları söylenir. Buradaki bakış açısına göre bağlantılar akson ve dendritlerdir. Düğümler ise, girdi değerlerini toplayan ve ardından sinyalin ne kadarının bir sonraki "nöronlar"a, yani aynı hizada bulunan bir sonraki bağlantı ve düğümlere iletileceğine karar veren hücre gövdeleridir.

Dennett'ın kullandığı diğer bir kavram, "sanal makine"dir. Şu anda üzerinde çalışmalarımı yaptığım gerçek makine; gerçek kablolar, iletkenler ve benzerlerinden üretilmiştir. Ayrıca, başka bir tür makinenin yapısını simüle etmek amacıyla benimki gibi bir makineden de yararlanılabilir. Simüle edeceğimiz diğer makine aslında bu makinenin şebekesinin bir parçası değildir; fakat benim makinemin şebekesine yüklenebilecek süreklilik kalıpları içerisinde bütünüyle var olur. Buna sanal makine denir.

Dennett'ın kullandığı son kavram "mem"dir. Bu kavramın anlamı çok açık değildir. Kavram, Richard Dawkins tarafından biyolojideki gen kavramının kültürel analoğu olarak icat edilmişti. Bu fikre göre, biyolojik evrimin genler yoluyla gerçekleşmesine benzer şekilde, memlerin yayılması da kültürel evrimi ortaya çıkarmıştır. Dawkins'in yaptığı ve Dennett'ın alıntıladığı tanıma göre mem:

[B]ir kültürel aktarım ya da bir *taklit* birimidir. ... Melodiler, fikirler, sloganlar, giysiler ve tarzlar ile çanaklar yapma ya da kemerler inşa etme yolları, çeşitli mem örnekleridir. Nasıl ki genler sperm ve yumurtalar aracılığıyla bedenden bedene sıçrayarak gen havuzunda yayılıyorlarsa, memler de genel anlamda taklit adı verilebilecek bir süreç aracılığıyla beyinden beyne sıçrayarak mem havuzunda yayılmaya çalışırlar. (s. 202)

"Mem" ve "gen" arasında kurulan analojinin hatalı olduğunu düşünüyorum. Biyolojik evrim kaba, kör ve doğal güçler tarafından sürdürülür. Fikirlerin ve kuramların "taklit" yoluyla yayılması ise genel anlamda hedefe yönelik, bilinçli bir süreçtir. Bu iki farklı süreci bir araya getirmek, Darwin'in türlerin kökenine dair yaptığı açıklamanın ana fikrini gözden kaçırmaktır. Darwin'in en büyük başarısı, insan ve hayvan türlerinin kökenindeki ve gelişimindeki amaç, planlama, teleoloji ve yönelimsellik görünüşlerinin tümüyle birer yanılsama olduklarını göstermesiydi. Buradaki görünüş de hiçbir amaç barındırmayan evrimsel süreçlerle açıklanabilirdi. Fakat fikirlerin taklit yoluyla yayılması, insanların bilinç ve yönelimsellik aygıtının tamamına ihtiyaç duyar. Fikirler, anlaşılmak ve yorumlanmak zorundadır. Taklit edilme ya da reddedilme adayı olabilmek için de, anlaşılmaları ve beğenilen yahut beğenilmeyen şeklinde değerlendirilmeleri gerekir. Taklit, taklitçide bilinçli bir çabanın varlığına muhtaçtır. Tüm bu süreç, doğal olarak bütün çeşitliliği ve inceliğiyle dili içermektedir. Kısacası fikirlerin taklit yoluyla aktarımı, genlerin üreme yoluyla aktarımından tümüyle farklıdır. Dolayısıyla genler ve memler arasındaki analoji daha en baştan yanıltıcıdır.

Dennett, bu dört kavramı temel alarak şöyle bir bilinç açıklaması önerir:

> İnsan bilincinin *bizzat kendisi* dev bir mem (veya daha kesin bir ifadeyle, beyindeki mem-etkileri) yığınıdır. Anlaşılmasının en iyi yolu, onu beynin *paralel mimarisinde yürürlüğe sokulmuş* ve hiç de bu tür amaçlar için tasarlanmamış olan *"von Neumanvari"* bir sanal makinenin işleyişi şeklinde düşünmektir. (Vurgular orijinal metne aittir, s. 210)

Başka bir deyişle bilinçli olmak, belirli bir bilgisayar programı ya da programlarının, doğada evrimleşmiş bir paralel makineye uygulanmasından ibarettir.

Öncelikle, bilinçli durumların varlığını reddeden Dennett'ın Güçlü YZ sonucuna varmak için herhangi bir ek argümana ihtiyaç duymadığının farkına varmamız gerekir. Gözboyayıcı hilesinin tüm hamleleri hâli-hazırda gerçekleştirilmiştir. Ona göre Güçlü YZ niteliksel, öznel ve içsel zihin içeriklerinden yoksun olan ama karmaşık davranışlar sergileyen bir makineye dair akla yatkın tek açıklamadır. Kuramında Dennett'ın insanlar ile tamamen insan davranışı gösteren bilinçdışı zombileri bir-birlerinden ayırt edemediğine dikkat çeken eleştirmenlerin birçoğu, onun görüşlerindeki aşırı zihinselcilik-karşıtlığını gözden kaçırmıştır. Bu noktada Dennett hazırcevap tutumuyla böyle bir zombinin olamaya-cağını, bizim gibi davranan her makinenin neyden yapıldığından bağım-sız olarak bizimkine benzer bir bilince sahip olması gerektiğini belirtir. Yeterli karmaşıklığa sahip zombilerin artık zombi olmayacaklarını ve bizdeki gibi içsel bilinçli durumlara sahip olacaklarını savunuyormuş gibi görünse de, iddiası kesinlikle bu değildir. Onun iddiası, aslında *bizim zombi olduğumuz* ve açıkladığım anlamda bilinçli durumlardan yoksun makineler ile bizler arasında hiçbir fark bulunmadığıdır. Bu id-dia, yeteri kadar karmaşık bir zombinin (Pymalion tarafından hayata döndürülen Galatea gibi) aniden bilinçli yaşama geçeceğini ileri sür-mez. Dennett daha ziyade bizim için, hayvanlar için, zombiler için ya da herhangi bir şey için bilinçli yaşam diye bir şeyin hiç olmadığını, sa-dece daha karmaşık bir zombilik halinin bulunduğunu öne sürer. Zom-bi meselesiyle ilgili yürüttüğü tartışmalardan birinde, insanın acısı ve ızdırabı ile bir zombinin acısı ve ızdırabı arasında fark olup olmadığını değerlendirir. Kitabın acıyla ilgili bölümünde yer alan bu tartışmanın temelindeki fikir, acının bir duyumsamanın adı değil, birinin planları-nın engellenmesi veya umutlarının kırılması gibi bir şey olduğu ve bir zombinin "çektiği ızdırabın" bizimkinden hiçbir farkı olmadığıdır:

> Bir "zombi"nin kırılan umutları, neden bilinçli bir insanın kırılan umutla-rından daha az önemli olsun? Burada açığa çıkarılması ve kurtulunması gereken aynalı bir hile mevcut. Esas önem arz eden şeyin bilinç olduğunu söylüyor. Ardından bizleri bilincin neden önem arz ettiğine dair araştır-ma yapmaktan sistematik bir biçimde alıkoyan bilinç öğretilerine yapışıp kalıyorsunuz. Yalnızca kişiye özgü ve içsel anlamda değerli olmakla kal-mayıp, aynı zamanda doğrulanamayan ve araştırılamayan özel iç nitelik-leri kabul etmek, gericilikten başka bir şey değildir. (s. 450)

Tipik özelliği, buradaki gibi retorik süslemeler yapmak olan bu kitaptaki tartışmanın hiç olmazsa ayaklarının yere basması için kendinize bir sorun: Kendinizi çimdikleme deneyini gerçekleştirirken, bu "doğrulanamayan ve araştırılamayan" "özel içsel nitelikleri kabul mü ediyordunuz?" "Gerici" mi oluyordunuz? Daha da önemlisi, acılar yaşayan siz ile sizin gibi davranan fakat acıya ya da herhangi başka bilinçli duruma sahip olmayan bilinçdışı bir zombi arasında hiçbir fark yok mu?

Aslında, tıpkı benim sorduklarım gibi, kasıtlı bir biçimde retorikleştirilmiş olsa da Dennett'ın paragrafa başladığı sorunun, kendisinin vermeye pek niyetli olmadığı basit bir yanıtı mevcuttur. Bir zombinin kırılan umutlarının, bilinçli bir insanın kırılan umutlarından daha az önemli olmasının sebebi, zombilerin –tanımı gereği– hiçbir şekilde hislerinin bulunmamasıdır. Sonuçta, onların içsel hislerine dair gerçekten önem taşıyan hiçbir şey yoktur; çünkü onlar hiçbir hisse sahip değildir. Onlar sadece, olan biteni gerçekten önemseyen his sahibi insanların davranışlarıyla aynı dışsal davranışlar sergilerler.

Güçlü YZ'nin bir sürümünü savunan Dennett'ın, daha önce özetlediğimiz, hiç Çince bilmediği halde Çinli bir konuşmacının simülasyonunu gerçekleştirebilmek üzere bir odanın içinde bir programdaki adımları takip eden bir adama dair bir hipotezi ortaya koyan Çince Odası Argümanı ile meşgul olması hiç de şaşırtıcı değildir. Bu sefer argümana yöneltilen itiraz, odadaki adamın söz konusu adımları inandırıcı bir biçimde uygulayamayacağıydı. Bu itirazın yanıtı ise, elbette gerçek hayatta bunu gerçekleştiremeyeceğimizi söylemekten ibarettir. Zaten düşünce deneylerini gerçekleştirmemizin sebebi, test etmeyi istediğimiz pek çok fikir için gereken deneylerin, gerçek hayatta uygulanmasının imkansız oluşudur. Ünlü saat paradoksu tartışmasında Einstein, ışık hızının yüzde 90'ı bir hızla hareket eden bir uzay gemisinin içinde, en yakınımızda bulunan yıldıza gittiğimizi hayal etmemizi ister. Uygulamada bu tür bir uzay gemisini inşa edemeyeceğimizi söylemek, kurulan cümle her ne kadar doğru olsa da, ana fikrin tamamen kaçırılmış olduğunu gösterir.

Benzer şekilde hem anadili Çince olanları kandırabilecek kadar karmaşık hem de bir İngiliz konuşmacının gerçek zamanda uygulayabileceği kadar da basit bir program tasarlamamızın mümkün olmadığını söylemek, Çince Odası düşünce deneyinin ana fikrinin anlaşılmadığını gösterir. Aslında doğal dillerden herhangi birini konuşan bir insanı kandırmayı başarabilecek bir ticari bilgisayar programı dahi tasarlayamamış olsak da konumuz bu değil. Çince Odası Argümanı'nın amacı –umarım açık bir şekilde ifade edebilmişimdir– bir programın sentaksının, Çince konuşan kişinin zihnindeki semantik içerik (zihinsel içerik ya da anlam) için yeterli olmadığını bize hatırlatmaktır. Şimdi Dennett'ın, ortaya koyduğum argümanın aslıyla niçin yüzleşmediğini ele alalım; niçin bu noktaya değinmiyor? Çince Odası Argümanı'nın üç önermesinden hangisine itiraz ettiğini niçin bize açıklamıyor? Bu önermeler o kadar da karmaşık değil ve şu şekilde ortaya koyulabilir: (1) programlar sentaktiktir, (2) zihinler semantik içeriklere sahiptir, (3) sentaksın kendisi ne semantik içerik için yeterlidir ne de onunla aynı şeydir. Cevabın açık olduğunu düşünüyorum. Dennett, asıl biçimsel argümandan bahsetmiyor; çünkü böyle yapması durumunda karşı çıktığı ikinci önermeyi, yani zihinlerin zihinsel içeriklere sahip olduğu iddiasını kabul etmek zorunda kalacaktır.[2] Öne sürdüğü varsayımları dikkate aldığımızda, gerçekten de zihinlerin *içsel* zihinsel içeriklere sahip olduğunu inkar etmeye kendini zorladığını söyleyebiliriz. Güçlü YZ'yi savunan pek çok insan, bilgisayarların bizimkiler gibi zihinsel içeriklere sahip olabileceğini düşünür ve hatalı bir şekilde, Dennett'ın kendi müttefikleri olduğunu zanneder. Fakat o, bilgisayarların zihinsel içeriklere sahip olduklarını düşünmez, çünkü ona göre böylesi şeyler yoktur. Zihin söz konusu olduğu sürece, Dennett için bilgisayarlar ile biz aynı durumdayızdır. Bunun sebebi, bilgisayarların herhangi bir normal insanın sahip olduğu içsel zihinsel içerik türlerini edinebilmeleri değil, en başından beri içsel zihinsel içerikler gibi şeylerin var olmayışıdır.

Bu noktada bilinç hususunda Dennett'ın yaklaşımı ile benim savunduğum ve bu kitapta tartışılan –eğer kendilerini doğru anlamışsam içlerinde Crick, Penrose, Edelman ve Rosenfield'ın da bulunduğu– diğer bazı yazarların savundukları yaklaşımlar arasındaki bazı farklılıkları anlaşılır hale getirebiliriz. Ben beynin bilinçli deneyimleri *meydana getirdiği*ne inanıyorum. Bunlar içsel niteliksel ve öznel durumlardır. En

---

2 Bu bölüm kaleme alınırken temel alınan orijinal makale yayınlandıktan sonra ona verdiği yanıtta Dennett, diğer yazılarda üç öncülün *hepsini* reddettiğini belirtmişti. Hem
bu yanıt hem de benim ona verdiğim yanıt birlikte bu bölümün sonunda ek olarak verilmiştir. İnanıyorum ki bu konular, Dennett'a verdiğim yanıtta yeteri kadar açık hale
getirilmiştir.

azından prensipte, bu içsel durumları meydana getirebilecek insan yapımı yapay bir beyin oluşturmak mümkün olabilir. Bildiğimiz kadarıyla böyle bir sistemi, beyninkinden tamamıyla farklı bir kimyasal yapıyı kullanacak şekilde oluşturmamız gerekecektir. Beynin, kendi kullandığı bazı farklı mekanizmalarla eşdeğer nedensel güçleri olan yapay bir sistemin inşa edilme yöntemini nasıl bilebildiği hakkında yeterli bilgiye sahip değiliz. Fakat biliyoruz ki bilinci meydana getirebilecek başka herhangi bir sistemin, beyindekine eşdeğer nedensel güçlere sahip olması zorunludur. Beynin tüm bunları nedensel bir biçimde meydana getirdiği gerçeğinden hareketle bu fikre ulaşılmaktadır. Fakat bir makinenin bilinçli olduğuna ya da düşündüğüne dair hiçbir şüphe söz konusu değildir ve olamaz; çünkü beyin de bir makinedir. Üstelik prensipte, daha önce de belirttiğim gibi, bilinçli ve düşünebilen bir yapay makine inşa etmeyi engelleyen bir şey bulunmamaktadır.

Şimdi, tamamen sözel açıdan ele alacak olursak, herhangi bir sistemi bazı hesaplamalı tanımlamaların bünyesinde açıklayabildiğimize göre, yapay bilinçli makinemizi de bir "bilgisayar" olarak tanımlayabiliriz, ki bu durum benim savunduğum pozisyonun Dennett'ınkiyle tutarlı gibi görünmesine sebep olabilir. Fakat aslında bu iki yaklaşım birbirinden tamamen farklıdır. Dennett, beynin içsel ve niteliksel bilinçli durumları meydana getirdiğine inanmaz, çünkü bu türden şeylerin varlığına inanmaz. Bana göre bilinçli yapay bir makinenin hesaplamalı yönleri, bilince *eklenen* bir şey olmalıdır. Dennett'ın yaklaşımına göre ise, hesaplamalı özelliklere ek olarak ayrıca bilinç diye bir şey yoktur; çünkü onun bilinçten anladığı şey, paralel bir mimariye uygulanmış von Neumann(vari) bir sanal makinenin mem etkilerinden ibarettir.

Dennett'ın kitabı, bilinç sorununa katkıda bulunmayıp bunun yerine daha en baştan sorunun varlığını reddetmek suretiyle, burada tartıştığımız kitaplar arasında eşsiz bir yere sahiptir. Kierkegaard'ın başka bir bağlamda söylediği gibi, Dennett biçimleri muhafaza eder fakat bunu yaparken onları anlamlarından ayırır. Bilincin varlığını reddederken, ona ait terimleri kullanmaya devam eder.

Birileri buna şu şekilde karşı çıkabilir: Bilimin, Dennett'ın haklılığını, içsel ve niteliksel zihinsel durumlar gibi şeylerin gerçekte var olmadığını, her şeyin günbatımı gibi bir yanılsamadan ibaret olduğunu keşfetmesi mümkün değil midir? En nihayetinde, eğer bilim günbatımının sistematik bir yanılsama olduğunu keşfedebiliyorsa, neden acılar gibi bilinçli durumların da yanılsama olduğunu keşfedemesin? Burada şöyle bir farklılık mevcut: Bilim günbatımı konusunda, güneşin gökyüzü boyunca hareket ediyor gibi göründüğü şeklindeki verileri inkar etmez. Tersine, bu ve diğer verilere ilişkin alternatif bir açıklama sunar. Bilim, bize görünenin arkasındaki gerçekliğe dair daha derin bir içgörü kazandırırken aynı zamanda görüneni de korur. Dennett ise daha en baştan verilerin varlığını inkar etmektedir.

Peki, biz bu verilerin varlığını, onların birer yanılsamadan ibaret olduğunu göstererek ispat edemez miydik? Hayır. Bilinçli deneyimlerin varlığını ispat etmenin yolu, onların altta yatan gerçekliği maskeleyen birer görünüm olduklarını kanıtlamak olamaz; çünkü *bilincin söz konusu olduğu yerde, görünümün varlığı gerçekliğin ta kendisidir*. Eğer bana tam anlamıyla bilinçli deneyimlerim varmış gibi görünüyorsa, bilinçli deneyimlerim var demektir. Bu epistemik bir mesele değil. Hayali bacak ağrılarından şikayet ederken olduğu gibi, deneyimlerim hakkında çok farklı türden hatalar yapabilirim. Fakat güvenilir bir şekilde bildirilmiş olsun ya da olmasın, günbatımını görme deneyimi günbatımıyla ne kadar aynıysa, acıyı hissetme deneyimi de acının kendisiyle o kadar aynıdır.

Dennett'ın bilincin varlığını inkar etmesini, yeni bir keşif ya da ciddi bir ihtimal olarak değil, bir tür entelektüel patoloji olarak görüyorum. Açıklamalarının merak uyandıran yanı, zeki bir insanın varsayımlar yoluyla kendisini nasıl köşeye sıkıştırabildiğinin keşfedilmesinde yatıyor. Dennett'ın durumunda cevapları bulmak hiç de zor değildir. Dennett, "Ortaya koyduğum fikri en basit şekliyle şöyle ifade edebilirim: İnsanların zihinlerini asla 'doğrudan göremediğiniz' ve bu konuda onların söyledikleriyle yetinmek zorunda olduğunuz için, zihinsel olaylara dair herhangi bir olgu bilimin verilerine dahil edilemez" (s. 70-71) der ve şöyle devam eder:

> Zihinsel olayların bilimin *verileri*ne dahil olmaması, bizim onlar üzerinde bilimsel çalışmalar yapamayacağımız anlamına gelmez. ... Burada söz konusu olan zorluk, bilimsel yöntemlerin izin verdiği verileri kullanarak zihinsel olaylara dair bir kuram inşa etmektir. Böyle bir kuram üçüncü-şahıs bakış açısıyla kurulmak zorundadır, çünkü *bütün* bilim bu bakış açısıyla kurulur. (s. 71)

Dennett'ın kavramsallaştırmasına göre, bilimsel nesnellik "üçüncü-şahıs bakış açısı"nı gerektirir. Kitabının sonunda bu görüşü doğrulamacılık –yalnızca bilimsel olarak doğrulanabilen şeylerin gerçekten var olduğu düşüncesi– ile birleştirir. Bu iki kuram onu, birinci-şahıs ontolojisine sahip herhangi bir fenomenin varlığını inkar etmeye götürmüştür. Yani, onun bilincin varlığını inkar etmesi şu iki öncülden türemiştir: Bilimsel doğrulama her zaman üçüncü-şahıs bakış açısını kullanır ve bilimsel doğrulama tarafından doğrulanamayan hiçbir şey var olamaz. Bu görüş kitapta yer alan en derin hatadır ve diğer birçoğunun da kaynağıdır. Bu yüzden ben de tartışmayı bu hatanın açığa çıkarılmasıyla sonlandırmak istiyorum.

Birinci-şahıs ve üçüncü-şahıs bakış açıları arasındaki (yani öznel olan ile nesnel olan arasındaki) farkın *epistemik* anlamını *ontolojik* anlamından ayırt etmemiz gerekir. Bazı önermelerin doğruluğu veya yanlışlığı, gözlemciye ait herhangi bir önyargıdan ya da tutumdan bağımsız olarak bilinebilir. Bunlar epistemik anlamda nesneldir. Örneğin "Van Gogh Fransa'da, Auvers-sur-Oise'de öldü" dediğimde bu ifade epistemik olarak nesneldir. Doğruluğunun kimsenin önyargıları ya da tercihleriyle ilişkisi yoktur. Fakat örneğin "Van Gogh, Renoir'dan daha iyi bir ressamdı" dediğimde bu ifade epistemik olarak özneldir. Doğruluğu ya da yanlışlığı meselesi, en azından gözlemcinin tutum ve tercihlerinin bir parçasıdır. Bu nesnel-öznel ayrımına ek olarak ontolojik bir bağlam da bulunur. Bazı varlıklar, örneğin dağlar, hiçbir özneye bağlı olmadan nesnel bir varoluşa sahiptir. Ancak acı gibi şeyler, varoluşları bir özne tarafından hissedilmelerine bağlı olduğu için özneldir. Onlar bir birinci-şahıs ontolojisine ya da öznel ontolojiye sahiptir.

Şimdi asıl meseleyi ortaya koyalım. Aslında bilimin amacı epistemik nesnelliktir. Bu amaç, özel tercihlerimizden ve önyargılarımızdan bağımsız bir dizi doğruyu elde etmeye yöneliktir. Fakat yöntemin epistemik nesnelliği, *mesele*nin ontolojik nesnelliğini gerektirmez. Benim acılarım ya da benim gibi insanların yaşadığı acılar, epistemik olarak nesnel bir gerçektir. Fakat bu acıların varoluş biçimi ontolojik olarak özneldir. Dennett, bilimin öznelliği araştırabilme ihtimalini dışlayan bir bilim tanımına sahiptir ve onu bu tanımı yapmaya, bilimdeki üçüncü-şahıs nesnelliğinin zorladığını savunur. Fakat bu, "nesnellik" üzerine yapılan kötü bir kelime oyunudur. Bilimin amacı dünyanın nasıl işlediğine dair sistematik bir açıklama geliştirmektir. Bu dünyanın bir kısmı ontolojik olarak öznel fenomenler içerir. Eğer bize dünyanın bu kısmını araştırmayı yasaklayacak bir bilim tanımı yaparsak, değiştirilmesi gereken dünyanın kendisi değil bu tanım olmalıdır.

Dennett'ın 511 sayfalık kitabının tamamında aynı hatayı defalarca tekrarladığı izlenimini vermek istemem. Aksine çok değerli noktalar üzerinde de durmuş, özellikle nörobiyoloji ve bilişsel bilimlerdeki birçok güncel çalışmayı iyi özetlemiştir. Örneğin beynin temsil ettiği olayların dünyadaki zamansal sıralaması ile beyinde süregiden temsillerin zamansal sıralaması arasındaki karmaşık ilişkiye dair ilginç bir tartışma sunmuştur.

Dennett'ın eseri, kimi eleştirmenlerin belirttiği gibi canlı ve bazen de eğlenceli olmakla birlikte, burada da açıklamaya çalıştığım gibi can alıcı meselelerde dikkatsiz ve baştan savmadır. En kötüsü ise, yukarıda bahsettiğimiz zombilerle ilgili kısımda olduğu gibi, kaba bir dil ve retorik sorularla okuyucunun gözünü korkutmaya çalışmaktadır. Tipik hamlelerinden biri de, karşıt görüşleri "kelimelerle ifade edilemez" şeylere dayanıyormuş gibi tasvir etmesidir. Fakat kendinizi çimdiklediğiniz vakit hissettiğiniz acıda, kelimelerle tarif edemeyeceğiniz hiçbir şey yoktur.

EK
Daniel Dennett'la Bir Fikir Teatisi

Bu bölümün temelini oluşturan orijinal makalenin yayımlanmasının ardından Dennett ile *The New York Review Books*'ta aşağıdaki fikir teatisini gerçekleştirdik.

Daniel Dennett: John Searle ve ben, zihnin nasıl çalışılması gerektiği hususunda derin bir anlaşmazlık içindeyiz. Searle'e kalırsa mesele gerçekten de oldukça basit. Hepimiz bilinç hakkında zamanla kendini kanıtlamış, sarsılmaz sezgilere sahibiz ve bunlara meydan okuyan herhangi bir kuramı ancak mantıkdışı kabul edebiliyoruz. Tam tersine ben de, böylesi apaçık bir ölü sezgi bulup —ilk bakışta görünenin aksine— onun yanlış olduğunu ortaya çıkarıncaya kadar, inatçı bilinç sorununun gizemini koruyacağı kanaatindeyim. İkimizden biri ölümüne bir yanılgının içinde ve bahisler de oldukça yüksek. Searle, benim durumumu "bir tür entelektüel patoloji" olarak görüyor. Herhalde bu hissin karşılıklı olduğunu söylersem kimse şaşırmayacaktır. Searle, kendi tarafında geleneği bulundurur. Evvela, benim görüşümün mantığa oldukça aykırı olduğunu dile getirir. Fakat onun görüşünün de, bazı örtük analizlerden sonra beliren birtakım sorunları bulunur. Peki şimdi nasıl ilerleyelim? İkimiz de kendi davamızı ortaya koyacak argümanlar üretme ve diğer tarafın yanlış olduğunu gösterme çabası içerisindeyiz.

Benim tarafımı ele alacak olursak, geleneksel düşüncenin dev yükünü yerinden oynatmak zorunda olduğumu bildiğim için dolaylı bir yola başvurdum: Üzerinden alternatif bir bakış açısı geliştireceğim detaylı bir kuram inşa edene dek büyük ve verimli felsefi sorulara değinmeyi kasten erteledim. Ancak bu amacı gerçekleştirdikten sonra, okuyuculara kuramın mantığa aykırı çıkarımlarıyla nasıl başa çıkabileceklerini göstermeye çalıştım. Searle benim bu stratejimi beğenmiyor; beni açık yürekli olmamakla suçlayıp, ilk bölümlerde "apaçık bir baştan savmalık" tespit ediyor ve "gerçekte ne düşündüğünü saklıyor" ifadesini kullanıyor. Saçmalık. Okuyucuyu neyin geleceği hususunda uyararak, tam da bu meseleye değinmek için başlangıçta yolumdan dahi saptım (hayvanların olmadığını söyleyen çılgın adamın kısa hikayesi, s. 43-45). Elimde gizli bir koz yok; fakat dikkatli olun, sizin el üstünde tuttuğunuz en derin sezgilerinizin bir kısmının peşine düşmüş durumdayım.

Onun tarafından bakarsak da, kendisinin bir Çince Odası Argümanı mevcut ve 15 yıldır hiçbir şey değiştirmeksizin sürekli ondan bahsedip duruyor. Alan hakkında herhangi bir şey bilen hemen herkes tarafından yıllar önce reddedilmişse de, uzman olmayanlar arasında inanılmaz bir rağbet gördüğü kanıtlanmış durumda. Argüman oldukça iyi gizlenmiş hilelerle doludur. Searle'ün kendi beyanına göre, bu argümanın üzerine yayınlanmış yüzden fazla eleştiri mevcuttur. Bunları sayabildiği doğru, ama sanırım okumak konusunda bir güçlük yaşıyor. Öyle ki bütün bu yıllar içerisinde bu yayınların içerdiği düzinelerce yıkıcı eleştiriye, bildiğim kadarıyla bir kere dahi ayrıntılı bir cevap vermedi ve yalnızca deneyin temel düşüncesini tekrar tekrar sundu. Geriye döndüm ve saydım: Yayınlanmış eleştirilerin yediden fazlasının bana ait olduğunu keşfetmekle dehşete düştüm (1980, 1982, 1984, 1985, 1987, 1990, 1991, 1993 yıllarında). 1982 yılında Dougles Hofstadter ile birlikte Çince Odası'nı "çalışır" hale getiren sevimli hileleri ilk olarak açığa çıkardığımızda, Searle *The New York Review of Books*'un sayfalarında benimle öfkeli bir biçimde tartışmıştı. Bundan sonra Searle, benim özel eleştirilerimin herhangi birine şimdiye kadar hiç değinmemişti. Şimdi Çince Odası'nı bir kez daha ortaya çıkarıp "Peki neden Dennett benim ortaya koyduğum gerçek argümanla yüzleşmiyor? Neden Çince Odası Argümanı'ndaki üç öncülden hangisini reddettiğini belirtmiyor?" şeklinde küstahça sorular soruyor. Bunları yapmıyorum, çünkü kendisinin cevaplama lütfunu göstermediği birçok makalede oldukça ayrıntılı bir biçimde zaten bu dediklerini yapmıştım. Örneğin, "Fast Thinking"de (daha 1987 yılında *The Intentional Stance*'te) üç öncüllü argümanının tamamını açık bir şekilde alıntıladım ve argümanın işe yaraması için ihtiyaç duyulan yorumlar göz önünde bulundurulduğunda, neden *üçünün de tamamen* yanlış olduğunu kesin bir şekilde gösterdim. 1987 yılındaki makalemi 1991 yılındaki kitabımda niçin tekrarlamadım? Çünkü Searle'ün aksine ben, başka şeylere doğru yol aldım. Buna rağmen bir dipnotta (s. 436), 1987'deki makaleme belirgin biçimde atıfta bulundum ve Searle'ün bu makaleye yanıtının konuyla alakasız olduğuna, bir argüman belirtmeksizin basitçe beyan etmekten ibaret olduğuna dikkat çektim. Aynı tas aynı hamam; şimdi de hem bu meydan okumayı görmezden geliyor hem de kitabımın Çince Odası'nın gözden geçirildiği kısmında sunmuş olduğum daha ileri eleştirilerimi çarpıtmaya devam ediyor. Ama belki de bu son dört yılda incelemesini yazmakla meşgulken benim neler yazdığımı gözden kaçırmıştır.

Çince Odası üzerine bu kadarı yeterli. Peki ben neler öne sürebilirim? Ölümcül bir biçimde yanlış olan sezginin yerine geçebilecek bir adayım var ve bu, tam da Searle'ün okuyucuyu kendisiyle paylaşmaya davet ettiği sezgidir. Bu sezgi, *o his* –bilirsiniz işte, uyaranın bıraktığı etkinin ve tepkiyi ortaya çıkaracak yapıların sebebi olan acı hissinden bahsediyorum– hakkında konuştuğumuz vakit ne hakkında konuştuğumuzu bildiğimize dair kanaatimizdir veya öznel durumun "içsel" içeriği olan *nitelce*dir. Nasıl olur da bir insan bunu inkar edebilir!? Sadece izleyin, fakat bütün dikkatinizi vermelisiniz. Ben bu sezgiye yönelik yıkıcı argümanımı, nihai kertede nesnel bir bilinç biliminin nasıl mümkün olabileceğini ve Searle'ün önerdiği "birinci-şahıs" alternatifinin her seferinde nasıl öz-çelişki ve paradoksla sonuçlandığını göstererek geliştirdim. Searle'e göre bu, kitabımdaki "en derin hata"dır ve o bunu "açığa çıkarma"ya kalkışmaktadır. Sorun şu ki, (heterofenomenolojinin ürkütücü adı altında) tasvir etmiş olduğum nesnel bilimsel yöntem, benim icat ettiğim bir şey değildir; bilinç üzerine çalışan Crick, Edelman ve Rosenfield da dahil olmak üzere her bilim insanının desteklediği ve dayandığı yöntem tam da budur. Onların, Searle'ün "içsel" içeriği ve "ontolojik öznelliği" ile bir ilişkileri yok; ondan daha iyi biliyorlar.

Searle, kaleme aldığı denemede bunu eğlenceli bir biçimde ortaya çıkarır. Gerald Edelman'ın nörobilimsel bilinç kuramına övgüler yağdırır ancak en sonunda küçük bir sorun bulunduğunu, kuramın bilinç üzerine olmadığını belirtir! "Dolayısıyla gizem devam etmektedir." Edelman'ın kuramının, Searle'ün anladığı bilinç tarzı hakkında olmadığı kesindir. Hiçbir bilimsel kuramın da olması mümkün değildir. Fakat Edelman'ın kuramı bilinç hakkındadır ve bazı çok iyi noktalara da değinmiştir. (Edelman'ın Searle tarafından hayranlıkla yeniden vurgulanan fikirleri, gerçekte kuramının asıl kısımları değildir. Edelman'ın haklı olarak üzerinde durduğu bazı konular, zaten alanda çalışan herkes tarafından az ya da çok kanıksanmış olanlardır. Searle, bu alanda beni okumuş olsaydı bunu muhakkak fark ederdi.) Edelman kuramını, Searle'ün dikkatlice "Zayıf YZ" şeklinde tanımladığı Darwin III gibi bir bilgisayar simülasyonuyla desteklemektedir. Fakat Edelman en doğrusunu yaparak, robotunun yeryüzündeki herhangi bir robot kadar gerçek bir yönelimsellik sergilediğinde ısrar etti –o yalnızca yapay bir yönelimselliktir ve ondan daha iyisi yok. Edelman bir süreliğine Searle'ün Çince Odası'na kanarak kötü bir başlangıç yaptıysa da, an itibarıyla ışığı görmüş olduğunu düşünüyorum. İEMYZ (İyi Eski-Moda Yapay Zeka [*Good Old-Fashioned AI*, *GOFAI*] –yürüyen-ansiklopedi-şeklindeki-aygıt) öldü, fakat Güçlü YZ ölmedi; hesaplamalı nörobilim bunun bir nişanesidir. Crick bunu kullanıyor, Edelman bunu kullanıyor, Churchlandlar bunu kullanıyor, ben bunu kullanıyorum ve diğer yüzlercesi de...

Ancak Searle bunu yapmıyor. Searle'ün araştırmaya yönelik bir programı yok. Sadece savunması gereken acı gerçekleri var. Bunlar onu paradokstan paradoksa sürüklüyor, fakat buna dikkat çeken eleştirilere değinmediği sürece bunu kim nasıl bilsin? Searle'ün fikirlerindeki sıkıntılı yönlere dair ayrıntılı bir analiz için *Journal of Philosophy*'de *The Rediscovery of the Mind* [Zihnin Yeniden Keşfi] ile ilgili kaleme aldığım incelemeye başvurabilirsiniz (bkz. 4/60 [Nisan 1993], s. 193-205). Bu incelemem, Searle'ün eleştirileri görmezden gelişini ya da çarpıtışını vakalarla ortaya koyar ve Searle'ü, bunu kasıtlı olarak yaptığına ilişkin izlenimi gidermeye davet eder. Bu davete Searle'ün tek cevabı, bu sayfalarda bulunan makalesidir ve literatüre aşina olan okuyucuların da fark edeceği gibi, örüntüyü bir kez daha teyit etmiştir. Bu sayfalarda 15 yıllık aldırmazlığını telafi edebilmesine yetecek kadar yer yok, dolayısıyla hiç kimse burada iyi bir şey yapmasını beklemesin. Fakat bizlere, kendisine yöneltilen eleştirilere hak ettikleri dikkat ve doğrulukla nerede ve ne zaman cevap vermeye kalkışmış olduğunu söyleme nezaketinde bulunursa, biz de onun iddialarını ne zaman tekrar dikkate almaya başlayacağımızı bileceğiz.

John Searle: Rahatsız edici bir tonda olmasına rağmen, incelememe bir karşılık vermiş olduğu için Daniel Dennett'a minnettarım. Çünkü bu aramızdaki farkları apaçık hale getirmemi sağladı. Ben hepimizin gerçekten bilinçli durumlara sahip olduğu görüşündeyim. Bu gerçeği herkese hatırlatmak amacıyla okuyucularımdan istediğim şey, küçük bir acı oluşturmak üzere sağ elleriyle sol kollarının ön kısmını çimdikleyerek küçük bir deney yapmalarıydı. Acı, belirli bir tür niteliksel hissi bünyesinde barındırır ve bu türden niteliksel hisler bizim uyanıklık ve rüya halindeki yaşamlarımızın içeriğini oluşturan, çeşitli türlerdeki bilinçli olaylara örnek teşkil eder. Bilinçli olaylar ile örneğin dağlar ve moleküller arasındaki farkları belirginleştirmek amacıyla, bilincin birinci-şahıs ontolojisine yahut öznel bir ontolojiye sahip olduğunu söyledim. Bundan kastım, bilinçli durumların yalnızca bir özne tarafından deneyimlendikleri vakit var olabildikleri ve yalnızca bu öznenin birinci-şahıs bakış açısından var olabildikleriydi.

Böyle olaylar, bir bilinç kuramının açıklaması gerektiği verilerdir. Ben, kendi bilinç açıklamamda işe bu verilerle başlarken, Dennett bunların varlığını reddeder. Elimden geldiğince açık bir şekilde ortaya koymaya çalışayım: *Consciousness Explained* adlı kitabında Dennett bilincin varlığını inkar eder. Bilinç kelimesini kullanmaya devam eder, fakat bu kelimeye yüklediği anlam farklıdır. Ona göre bilinç, hepimizin sahip olduğu birinci-şahıs bilinçli his ve deneyimlerine değil, yalnızca üçüncü-şahıs fenomenlerine işaret eder. Dennett'a göre, biz insanlar ile hiçbir hisse sahip olmayan karmaşık zombiler arasında fark yoktur; çünkü hepimiz sadece birer karmaşık zombiyiz.

Sanırım bu söylediklerimi ilk defa duyan çoğu okuyucu, Dennett'ı yanlış anladığımı düşünecektir. Elbette aklı başında hiçbir insan duyguların varlığını inkar etmez. Fakat bana verdiği cevapta, kendisini tamamen doğru anladığımı söylüyor. "Nasıl olur da bir insan bunu inkar eder? Sadece izleyin..." şeklinde bir cümle kuruyor.

Onun görüşünün kendi kendini çürüttüğünü düşünüyorum, çünkü bir bilinç kuramının açıklaması gereken verilerin varlığını inkar ediyor. Nasıl olur da bu yaptığının yanına kâr kalacağını düşünür? Göndermiş olduğu mektup, argümanın tam da bu noktasında meseleleri doğasından saptırır. Dennett, aramızdaki anlaşmazlığın rakip "sezgiler"den kaynaklandığını, benim "geleneksel görüşü" savunan, "zamanın testine tabi tutulmuş sezgilerim" ile onun daha güncel sezgileri arasındaki rekabetle ilgili olduğunu, onun ve benim "zihnin nasıl çalışacağı hususunda derin bir anlaşmazlık içerisinde bulunduğumuzu" yazıyor. Fakat anlaşmazlığımız sezgilerle ya da zihnin nasıl çalışılacağıyla ilgili değil. Metodoloji hakkında da değil. Daha en baştan, çalışmanın nesnesinin var olup olmadığıyla ilgili bir anlaşmazlık içindeyiz. Onun mantığına göre sezgi, birinin inanmaya meyilli olduğunu hissettiği şeydir ve bu türden sezgilerin sıklıkla yanlış olduğu görülmüştür. Örneğin, insanların fizikteki kuramlar yoluyla çürütülmüş, uzay ve zamana dair sezgileri vardır. İncelememde bilinç hakkında nörobiyoloji tarafından çürütülmüş bir sezgi örneğini sunmuştum: Koldaki ağrının sağduyuya dayalı sezgisi, aslında kolun fiziksel uzaydaki konumuna yerleşir.[3] Fakat bilinçli durumların varlığı, sezgilerimize benzemez. Bahsettiğim çürütülebilir sezgiler, şeylerin bana görünme biçimleri ile gerçekte nasıl oldukları arasında bir ayrımı gerektirir, görünüş ile gerçeklik arasında bir ayrımı. Fakat bilinçli durumların varlığı düşünüldüğünde, görünüş ile gerçeklik arasında bir ayrım yapamazsınız, çünkü burada görünüşün varlığı *sorgulanan gerçekliğin* ta kendisidir. Bilinçli bir şekilde kendime bilinçli görünüyorsam, o halde ben bilinçliyimdir. Bu, söyleme isteği hissettiğim herhangi bir şeyin "sezgisi" ile ilgili değildir. Bu bir metodoloji meselesi de değildir. Aksine, duyumsamalara ve başka türden bilinçli

---

3 Bkz. 7. Bölüm.

durumlara sahip olmamız, benimle ve diğer bütün normal insanlarla ilgili apaçık bir gerçektir.

Şimdi, inceleyen kişi olarak, apaçık ve kendi kendini çürüten bir sahtelik gibi görünen bu durum karşısında ne yapmam gerekiyor? Yazara kendisinin bilinçli olduğunu hatırlatmak için onu da mı çimdiklemeliyim? Ya da kendimi çimdikleyip sonuçları daha mı ayrıntılı sunmalıyım? İncelememde benimsemiş olduğum yöntem, Dennett'ı bilinçli durumların varlığını reddetmeye yönelten felsefi varsayımların neler olduğunu teşhis etmeye çalışmaktı ve mektubundan anladığım kadarıyla kendisinin benim teşhisime bir itirazı varmış gibi görünmüyor. Açık bir biçimde, dayandığı bilimin nesnelliği ve doğrulamacılık aksiyomlarının, bilinçli durumların var olmadığı sonucuna ulaştırdığını savunur. Bu aksiyomlardan ilki bilimin nesnel olduğu ve üçüncü-şahıs yöntemlerini kullandığı, ikincisi ise bilimsel metotlarla doğrulanamayan hiçbir şeyin var olmadığı şeklindedir. Yazımın kayda değer uzunluktaki bir bölümünde, bilimin nesnelliğinden onun düşündüğü gibi bir sonuç çıkmayacağını tartıştım. Yöntemin epistemik nesnelliği, özne meselesinin ontolojik öznelliğine engel oluşturmaz. Bunu daha az süslü bir jargonla ifade etmek gerekirse, çok sayıda insanın sırt ağrısının olduğu gerçeği tıp biliminin nesnel bir olgusudur. Ağrıların varlığı herhangi bir kimsenin fikirleri ya da tutumlarıyla ilgili değildir. Fakat bunların bizatihi varoluş biçimleri özneldir. Yalnızca insan özneler tarafından hissedildikleri takdirde var olabilirler. Kısacası onun kitabında bilincin reddedilmesine yönelik bulabildiğim tek biçimsel argüman, bir yanılsama üzerine kuruludur. O ise mektubunda benim argümanıma hiçbir cevap vermiyor.

Peki hal böyleyken görüşünü savunmayı nasıl ümit ediyor? Cevabının temel iddiası şu şekilde:

> Ben bu sezgiye yönelik yıkıcı argümanımı, nihai kertede nesnel bir bilinç biliminin nasıl mümkün olabileceğini ve Searle tarafından önerilen "birinci-şahıs" alternatifinin her seferinde nasıl öz-çelişki ve paradoksla sonuçlandığını göstererek geliştirdim.

Biri "nesnel bilim" diğeri ise "öz-çelişki ve paradoks" ile ilgili olmak üzere iki noktaya işaret ediyor. Şimdi sırasıyla bunlara bakalım. Dennett, kitabında görmüş olduğum nesnellik hakkındaki kafa karışıklığını mektubuna da aynı şekilde yansıtmış. Kendisi bilimin nesnel yöntemlerinin, insanların öznel hisleri ve deneyimleri üzerinde çalışmayı imkansız hale getirdiğini düşünüyor. Bu, herhangi bir nöroloji kitabından da açıkça anlaşılacağı üzere, bir hatadır. Yazarlar hastalarının içsel öznel ağrılarını, kaygılarını ve diğer yakınmalarını açıklamaya çalışırken ve bunları tedavi edebilmeleri için öğrencilerine yardımcı olurken bilimin nesnel yöntemlerinden faydalanırlar. Nesnel bilimin öznel deneyimleri çalışamaması için herhangi bir sebep yoktur. Dennett'ın "nesnel bilinç bilimi", meseleyi tümden değiştirmektedir. Ona göre mesele bilinç değil, dışsal davranışın üçüncü-şahıs açıklamasıdır.

Peki bilinçli olduğumuza dair görüşümün "her seferinde öz-çelişkiye ve paradoksa yol açtığı" şeklindeki iddiasına ne demeli? Benim görüşümdeki öz-çelişkileri hatta tek bir öz-çelişkiyi gösterebileceği iddiası, korkarım ki yalnızca bir blöf. Eğer biçimsel bir çelişkiyi gerçekten gösterebiliyor ya da çıkarsamayla elde edebiliyorsa, bu çelişki nerede? Herhangi bir örnek vermeksizin öz-çelişki iddiasında bulunmak boş laftan ibarettir.

Peki ya bilincin paradoksları? Dennett, kitabında, psikoloji ve nörobiyoloji literatüründe bulunan bazı kafa karıştırıcı ve paradoksal vakaları tasvir eder. Kitabın en güzel kısımlarının buralar olduğunu düşünüyorum. Nörobiyolojiyi etkileyici yapan özelliklerinden biri, gerçekten de çok sayıda şaşırtıcı ve bazen paradoksal sonuçlar ortaya çıkaran deneyleri bünyesinde barındırmasıdır. Dennett'ın argümanının mantıksal biçimi ise şu şekildedir: Gerçekten bilinçli olduğumuz şeklindeki "sezgi"mizden vazgeçebilseydik, paradoksal vakalar o kadar da paradoksal görünmeyecekti. Fakat bu sonuç garanti edilemez. Bu vakalar bizim için ilgi çekicidir, çünkü hepimiz bilinçli olduğumuzu önceden biliriz. Paradoksal olsun ya da olmasın bu deneylerden herhangi birinde yer alan şeylerden hiçbiri, benim tarif ettiğim türden niteliksel bilinçli durumlara sahip olmadığımızı göstermez. İncelememde açıklamaya çalıştığım –burada da tekrar ettiğim ve Dennett'ın cevap verme girişiminde dahi bulunmadığı– nedenlerden ötürü bu türden argümanlar, bu verilerin varlığının aksini ispat etmez. Özetle, öne sürdüğüm şeyler şunlardı:

1. Dennett, bilincin varlığını inkar etmektedir.

2. Bilincin varlığıyla ilgili meselenin, bir rakip sezgiler meselesi olduğunu düşünmekle hata etmektedir.

3. Onun görüşünün temelini oluşturan felsefi argümanlar yanıltıcıdır. Bilimin nesnel olduğu gerçeğinden, bilincin öznel durumlarının varlığını teşhis edemeyeceği sonucuna ulaşmak bir yanılgıdır.

4. Bilinçli durumların genellikle paradoksal olduğunu gösteren kitabında sunduğu esas argümanlar, bu durumların var olmadığını göstermez.

5. Onunki gibi argümanların başvurduğu görünüş ile gerçeklik arasındaki ayrım, bilinçli durumların varlığına uygulanamaz; çünkü bu tür durumlarda görünüş gerçekliğin ta kendisidir.

Bunlar belirtmek istediğim önemli noktalardı. Acelesi olan okuyucu buradan sonra devam etmeyebilir. Fakat Dennett, haklı olarak, bana yönelttiği her ithamı yanıtlamadığım iddiasında bulunuyor. Bu yüzden, mektubundaki temel hususları tek tek ele almama izin verin.

1. Dennett, benim tarif ettiğim türden bilinçli durumların var olmadığı konusunda Crick, Edelman ve Rosenfield'ın kendisiyle aynı fikirde olduğunu savunur. O tür bilinçli durumlarla "Hiçbir ilişkileri yoktur" der. Ayrıca, Crick ve Edelman'ın Güçlü YZ taraftarları olduğunu iddia eder. Bu yazarlar ve onların çalışmaları hakkındaki bilgimden yola çıkarak, ortaya koymuş oldukları eserlerde ne bilincin varlığını reddetmeyi arzuladıklarını gösteren ne de Güçlü YZ taraftarı oldukları görüşünü destekleyen bir şey buldum; fakat onların bu noktalarda Dennett'la aynı fikirde olmadıklarını düşündüren çok şey bulduğumu söylemem gerekir. İncelemem yayımlandıktan sonra Edelman ve Crick'le yaptığım kişisel görüşmeler de, onların görüşlerinden anladıklarımı doğrular niteliktedir. Dennett ise iddialarını destekleyecek yazılı hiçbir kanıta atıfta bulunmaz.

Doğrusunu söylemek gerekirse, gözden geçirdiğim yazarlar arasında, açıklamaya çalıştığımız bilinçli deneyimlerin varlığını reddeden ve bilinçli olduklarını kabul ettiğimiz bütün deneyimlerin sadece hesaplamalı bir makinenin uygulamalarından ibaret olduğunu düşünen tek yazar Dennett'tır. Konunun tarihine baktığımızda ise, ne kendisi eşsizdir ne de yaklaşımı yenilik taşır. Dennett'ın görüşleri, on yıllar önce Oxford'da öğretmenliğini yapmış Gilbert Ryle'ın geleneksel davranışçılığının bir uzantısı ile Güçlü YZ'nin bir karışımıdır. Dennett, İEMYZ'nin yani İyi Eski-Moda YZ'nin öldüğünü kabul eder. (Önceden buna inanırdı. Neden öldüğünü ya da onu kimin öldürdüğünü bize söylememiş olması çok acı.) Çağdaş hesaplamalı nörobilimin ise bir tür Güçlü YZ olduğunu düşünür ve bana kalırsa bu konuda da hatalıdır. Açıkçası, Güçlü YZ'ye inanan hesaplamalı nörobilim uzmanları mevcuttur; fakat nörobiyolojik fenomenlerin hesaplamalı modellerini oluşturmak için, bir zihin sahibi olmanın doğru bir bilgisayar programına sahip olmak anlamına geldiğine hiçbir şekilde inanmanız gerekmez.

2. Dennett'ın mektubundaki iddialardan biri öylesine açık bir yanlıştır ki, bu açıklık insanı hayrete düşürüyor. Kendisi, Çince Odası Argümanı ve onunla ilişkili diğer argümanlarıma yöneltilen eleştirileri görmezden geldiğimi ve cevap vermediğimi söylüyor. Bunu, "15 yıllık aldırmazlık" diye de ifade ediyor. Bu, kitabında serdettiği itirazlara verdiğim cevapları içeren bir incelemeye karşılık veren birinden duyulabilecek oldukça tuhaf bir iddiadır. Ayrıca bu ifade, eleştirileri cevaplandırdığım abartısız düzinelerce vaka kaydıyla da çelişmektedir. Bazılarını aşağıda listeledim.[4] Başka birçoğuna da atıfta bulunulabilirdi. Benim görüşle-

---

4 1980 yılında *Behavioral and Brain Sciences*'da, Çince Odası Argümanı'na yönelik, içlerinde Dennett'ınkinin de bulunduğu 28 eleştiriyi yanıtladım. 1982 yılında yine *BBS*'de 6 başka eleştiriye verdiğim yanıtlar yer almıştır. Ayrıca, Dennett ve Douglas Hofstadter'a verdiğim başka cevaplar NYRB'nin sayfalarında 1982 yılında gözler önüne serildi. *Minds, Brains and Science* adlı kitabımda yayınlanmış olan 1984 yılı Reith Derslerimde yine bu meseleyi ele almıştım. New York Academy of Science'ta bulunan tanınmış Güçlü YZ taraftarlarıyla yürüttüğüm tartışmalar da Akademi tarafından yayınlanmıştı. 1989 yılında Elhanan Motzkin'le yürüttüğüm başka bir fikir teatisini, 1990 yılında *Scientific American*'da Paul ve Patricia Churchland ile gerçekleştirdiğim bir tartışma takip etti. 1991 yılında Jerry Fodor ile yürüttüğümüz bir başka tartışma daha yayınlanmıştı (Fodor'a yönelttiğim cevap için bkz. "Yin ve Yang Başarısız Oldu", *The Nature of Mind* içinde, ed. David M. Rosenthal, Oxford University Press, 1991). Bunlar yalnızca 90'lı yıllara kadar yayınlanmış olan materyaldi. Orijinal nüshanın ardından *BBS* editörünün daveti üzerine, tartışmayı genel bağlamda kognitif bilimlere kadar genişleten başka bir makale daha yazdım. Bu dergide birbirini takip eden tartışmalar boyunca kırkın üzerinde eleştiri cevapladım. 1994, 1995 gibi daha yakın yıllarda *Philosophy and Phenomenological Research* dergisinde, *The Rediscovery of the Mind* adlı eserim üzerine yayınlanan bir dizi tartışmaya cevap verdim. Ayrıca *John Searle and His Critics* (ed. Ernest Lepore ve Robert van Gulick, Blackwell, 1991) adındaki görece daha hacimli olan bir sayıda bütün bu meseleler üzerinden birçok eleştirmen ve yorumcuya cevaplar verdim.

rime yöneltilen her itiraza tek tek karşılık vermedim, çünkü tamamı yanıtlamaya değer görünmüyordu. Fakat kayıtlara bakılırsa, Dennett'ın eleştirilerini cevapsız bıraktığıma yönelik iddianın düpedüz aldatıcı olduğu açıkça görülecektir.

Son yıllarda bu meseleler ilginç şekillerde kızışmaya devam etti. Hesaplamalı biliş kuramları meselesini genel hatlarıyla 1990 yılında Amerikan Felsefe Birliği'nde yaptığım Başkanlık Konuşması esnasında ele almıştım ve bu konu genişletilmiş haliyle *The Rediscovery of the Mind* (1992) kitabımda yer aldı. Orada, Çince Odası Argümanı'nın hesaplamacılığı çok fazla kabulleniyor olmasının etkisiyle, Dennett hakkında kaleme aldığım bu incelemede de yeniden şekillendirdiğim argümanı daha da geliştirdim. Asıl argüman, insan bilişindeki semantiğin, bir bilgisayarın biçimsel sentaktik programına içkin olmadığını gösteriyordu. Yeni argümanım ise program sentaksının, donanımın fiziksel yapısına içkin olmadığını, bunun yerine sisteme hesaplamalı bir yorum atfedecek dış yorumcunun varlığına ihtiyaç duyduğunu ortaya koyuyor. (Eğer haklıysam bu Dennett'ın, bilincin sanal ya da başka türden bir von Neumann makinesi olduğunu keşfedebileceğimiz iddiasını çürütüyor. Bu bilinç, onun tasvir ettiği türden dahi olsa durum değişmez. Dennett ise mektubunda buna cevaben hiçbir şey söylememiştir.)

3. Dennett'ın mektubu, gerçekte hiçbir şekilde açıklamadığı aleyhimdeki bir yıkıcı bir argümana sürekli atıfta bulunan tuhaf bir retorik özellik taşıyor. Söz konusu ezici argüman her zaman sahne arkasındadır, onun ya da başka birinin yazdığı bir incelemede ya da yıllar önce yayımladığı bir kitabındadır; fakat zahmet edip de o argümanı şimdi bir türlü ortaya koyamaz. Geriye dönüp atıfta bulunduğu argümanlara baktığımda, onları da çok etkileyici bulduğumu söyleyemeyeceğim. Kendisi bu argümanların kesin sonuçlara ulaştırdığını düşündüğü için izninizle en azından bir tanesinden, 1987 yılında Çince Odası Argümanı'na yönelttiği eleştiriden bahsedeyim.

İncelememi yazdığım esnada, kitabını, Çince Odası Argümanı'na dair tutumunun kesin bir ifadesi olarak ele aldığım ve önceki çalışmalarına başvurmadığım konusunda haklı. (Aslında mektubunu görene kadar, benim bu kısa argümanım hakkında yayımlanmış toplam yedi eleştiri ürettiğini de bilmiyordum.) Şimdi ise o, 1987 yılında, argümanın üç öncülünü birden çürütmüş olduğunu iddia ediyor. Fakat kitabının ilgili bölümünü bir kez daha okudum ve ne böyle bir şey yaptığına ne de öncülleri eleştirmek için ciddi bir çaba sarf ettiğine rastladım. Bunun yerine, duruşumun semantikten ziyade bilinçle ilgili olduğu şeklinde gerçeğe aykırı bir beyanatta bulunuyor. Kendisi benim, Çince Odası'ndaki adamın Çinceyi yalnızca bilinçli bir şekilde anlamadığını savunduğumu düşünüyor. Fakat ben, adamın Çinceyi hiç anlamadığını gösteriyorum; çünkü programın sentaksı, ister bilinçli isterse bilinçdışı olsun, dilin semantiğini anlamak için yeterli değildir. Dahası, kendisi bir tür davranışçılık önkabulünde bulunuyor. Zihinsel durumlara sahipmiş gibi davranan bir sistemin, zihinsel durumlara sahip olması gerektiğini varsayıyor. Ancak bu türden bir davranışçılık, tam da bu argümanın meydan okuduğu şeydir. Bu nedenle itiraf etmeliyim ki, onun son kitabında bulunan argümanlardaki zayıflığın 1987'deki argümanları tarafından desteklendiğine dair bir bulguya rastlamadım.

4. Dennett kendisinin retorik tarzını –bilinçli durumların varlığını inkar ettiğini kitabının ilk kısımlarında açıkça ve gizlemeden belirtmediği için– "apaçık bir baştan savmalık" olarak nitelendirmeme içerliyor. Sanırım benzer bir şikayette bulunan psikolog Bruce Mangan'ın eleştirisine verdiği cevapta neyi kabul ettiğini unutmuş olmalı:

> O (Mangan), felsefi kanılarımı kitabın sonlarına kadar kasti bir şekilde gizli tutmakla, "varsayımsal bir hava" yaratmakla, "gerçeklik-karşıtı" duruşumu en baştan belirtip bu uğurda tartışmaktansa "retorik araçlar"a dayanmakla beni suçluyor. Kesinlikle! Stratejim buydu. ... Nihai yargılarımla ilgili içten bir beyanla başlasaydım, aşikar bir öfke korosu tarafından kışkırtılacaktım ve bu yaygara, savunmak istediğim durumun bir miktar tarafsız olabilecek herhangi bir incelemesini sonsuza dek erteleyecekti.

Onun Mangan'a cevaben övündüğü şey, tam da benim bahsettiğim "baştan savmalık"tır. Hamleyi yapan Mangan olduğunda verilen "Kesinlikle!" cevabı, aynı hamleyi ben yapınca "Mantıksız" halini alıyor. Bana göre, bir filozof doğruluğundan tamamıyla emin olduğu ancak çok kabul görmeyen bir görüşü benimsediğinde, bu görüşünü elinden geldiği kadar anlaşılır hale getirmeye çalışmalı ve yapabildiği kadar güçlü bir şekilde savunmalıdır. Bir "yaygara", açık yüreklilik için ödenecek fahiş bir bedel değildir.

5. Dennett hiçbir araştırma programı önermediğimi dile getiriyor. Bu doğru değildir. Benim incelememdeki ana fikir; mikro-düzey beyin süreçlerinin bilincin niteliksel durumlarına tam olarak nasıl *neden olduğu*na ve bu durumların nasıl olup da nörobiyolojik sistemlerin *niteliği*ni oluşturduğuna yönelik nörobiyolojik bir açıklamaya ihtiyaç duyduğumuzu ileri sürmekti. Daha önce de dile getirdiğim gibi Dennett'ın yaklaşımı, biyolojik bilimlerin en önemli soruları olarak gördüğüm bu soruların çözülmesini imkansız hale getirirdi.

6. Dennett benim yalnızca bir argüman, Çince Odası Argümanı'nı geliştirdiğimi söylüyor. Bu doğru değildir. Aslında biri Güçlü YZ, biri bilincin varlığı ile ilgili olmak üzere iki adet birbirinden bağımsız argümanlar dizisi bulunmaktadır. Çince Odası Argümanı ilk dizideki argümanlardan biridir. Hesaplamacılık karşıtı olan daha derin argüman ise, bir sistemin hesaplamalı niteliklerinin o sistemin yalnızca fiziğine içkin olmadığı ve bir kullanıcı ya da yorumlayıcının varlığını gerektirdiği şeklindedir. Bazı insanlar bu argümanlardan ikincisine yönelik ilginç eleştirilerde bulundu, fakat Dennett ne kitabında ne de buradaki teatimizde böyle bir şey yapmadı. Onu sadece görmezden geliyor. Bilinç söz konusu olduğunda, eğer biri ısrarla bilincin bizatihi varlığını inkar ediyorsa, öncülleri ve sonuçlarıyla geleneksel argümanlar onu asla ikna edemeyebilir. Yapabileceğim tek şey, okuyuculara kendi deneyimleriyle ilgili hakikatleri hatırlatmaktan ibaret. İşte bu teatinin çelişkisi: Ben, bilinçli ve anlaşılmaz bir şekilde bana karşı kızgın olmanın tüm belirtilerini gösteren bir yazarın itirazlarını bilinçli bir şekilde yanıtlayan, bilinçli bir eleştirmenim. Bunu bilinçli olduğunu varsaydığım bir okuyucu kitlesi için yapıyorum. O halde, bilincin gerçekten var olmadığı şeklindeki iddiasını nasıl ciddiye alabilirim ki?

Not

Bu teatinin yayımlanmasından sonra Dennett, diğer yazılarında da tartışmayı devam ettirdi. Maalesef kendisi benim görüşlerimi doğru bir şekilde alıntılama hususunda ısrarla sorun yaşıyor. Birkaç yıl önce o ve yardımcı editörü Dougles Hofstadter, beni beş defa yanlış alıntıladıkları bir cilt oluşturmuşlardı.[5] *The New York Review of Books*'ta bunu belirtmiştim.[6] Bu teatinin yayımlanmasından sonra, yakın bir tarihte Dennett şunları yazdı:

> Searle ile aynı tartışmanın içerisinde bile değiliz. O, bilinci "üretmek" için organik beyinlerin gerekli olduğunu iddia eder –bir yerde, beyinlerin bilinci "salgıladığı"nı sahiden söyledi; sanki birtakım sihirli şeyler varmış gibi– ...[7]

Yine aynı kitapta:

> Yine de emin olduğumuz tek şey, John Searle'ün, "biyolojik madde" dediğiniz şeyin fail (ya da bilinç) için bir gereklilik olduğu şeklindeki fikrinin, umutsuz bir girişim olduğudur. (s. 187)

Bu atıfların her ikisinde de karşılaştığımız sorun, görüşlerimin yanlış sunulması ya da yanlış alıntılanmış olmasıdır. Ben asla bilincin üretilebilmesi için "organik beyinler gereklidir" şeklinde bir şey savunmadım. Belirli beyin işlevlerinin bilinç için *yeterli* olduklarını biliyoruz; fakat şu anda onların aynı zamanda *gerekli* de olduklarını bilmemizin bir yolu yok. Ayrıca, ben asla "beyinler bilinci 'salgılar'" şeklindeki absürt görüşü de savunmadım. Dennett'ın bu alıntılar için hiçbir kaynak göstermeyişine şaşırmıyorum, çünkü böyle bir kaynak yok.

---

5 *The Mind's I: Fantasies and Reflections on Self and Soul* (BasicBooks, 1981).

6 "The Myth of the Computer", *The New York Review of Books*, Nisan 29 (1982).

7 *Consciousness in the Cognitive Neuroscience*, ed. Michael Gazzaniga (MIT Press, 1997), s. 193.

6.

David Chalmers ve Bilinçli Zihin

1.

Geleneksel olarak zihin felsefesinde ikiciler ve tekçiler arasında temel bir ayrım olduğu varsayılır. İkicilere göre, dünya üzerinde zihinler ve bedenler olmak üzere temelde farklı iki tür fenomen bulunur. Tekçiler ise, dünyanın yalnızca bir tür şeyden meydana geldiğini düşünür. İkiciler, "zihin" ve "beden"in iki çeşit töze işaret ettiğini düşünen "töz ikicileri" ile "zihinsel" ve "fiziksel" olanın farklı özellikler veya nitelikler taşıdığını düşünen "nitelik ikicileri" olmak üzere ikiye ayrılırlar. Nitelik ikiciliğinde söz konusu olan nitelikler arasındaki bu ayrım, aynı tözün —örneğin bir insanın— aynı anda iki farklı türden niteliğe sahip olmasını mümkün kılar. Buna karşılık tekçiler de, en nihayetinde her şeyin zihinsel olduğunu düşünen idealistler ile her şeyin maddi veya fiziksel olduğunu düşünen maddeciler şeklinde ikiye ayrılır.

Sanıyorum medeniyetimizdeki insanların çoğu, bir tür ikiciliği kabul etmiş durumdadır. Bir zihin ve bir bedene yahut bir ruh ve bir bedene sahip olduklarını düşünürler. Fakat bu görüş felsefe, psikoloji, yapay zeka, nörobiyoloji ve bilişsel bilim uzmanları arasında kesinlikle kabul görmez. Bu alanlarda çalışan insanların çoğu maddeciliğin bir türünü kabul etmektedir; çünkü çağdaş ve bilimsel dünya görüşümüze uyan tek felsefenin bu olduğuna inanırlar. Thomas Nagel ve Colin McGinn gibi nitelik ikicilerinin sayısı oldukça azdır; bildiğim tek töz ikicisi ise, ruhun varlığına dini bir bağlılığı bulunan Sör John Eccles'tir.

Fakat maddeciler şöyle bir sorunla karşı karşıyadır: Dünyadaki tüm maddi olgular tanımlansa bile ortada hâlâ çok sayıda zihinsel fenomen kalacak gibi görünmektedir. Örneğin, bedenim ve beynimle ilgili bütün olguları tanımlasanız dahi inançlarım, arzularım, acılarım vs. hakkında pek çok olgu açıkta kalacak gibi görünmektedir. Maddeciler genellikle bu zihinsel olgulardan, onları maddi fenomenlere indirgeyerek ya da var olduklarını inkar ederek kurtulmaları gerektiğini düşünürler. Geçtiğimiz asrın zihin felsefesi tarihi, büyük ölçüde, fiziksel fenomenlerin üzerinde olan veya onları aşan hiçbir zihinsel fenomenin bulunmadığını göstererek zihinsel olandan kurtulmaya çalışan bir girişim olmuştur.

Bu çabaların izini sürmeyi denemek büyüleyici bir çalışmadır, çünkü altlarında yatan güdüler genellikle gizlenmiş haldedir. Maddeci filozoflar, zihinsel olanın bir analizini öneriyormuş gibi görünmektedirler ancak gizli gündemlerinde zihinsel olandan kurtulmak vardır. Buradaki amaç, zihinle ilgili açıkça yanlış görünmeyen hiçbir şeyi dile getirmeksizin, dünyayı maddi bakış açısıyla tasvir etmektir. Bu o kadar da kolay bir iş değil. Her ne kadar acıların, inançların ve arzuların var olmadığını söylemek fazlasıyla mantık dışı görünse de, bunu söyleyen filozoflar dahi çıkmıştır. Bundan daha yaygın olan maddeci hamle ise, zihinselin varlığını kabul edip bunların fiziksel fenomenlere ayrıca eklenmiş bir şey olmadığını; onun yerine, fiziksel durumların biçimleri olduklarını ve bu durumlara indirgenebileceklerini ifade etmektir.

Zihne dair maddeci bir indirgeme gerçekleştirmeye yönelik yirminci yüzyıldaki büyük çabaların ilki davranışçılıktır. Gilbert Ryle ve Carl Gustav Hempel'in öne sürdüğü bu görüş, zihinsel durumların, yalnızca davranış örüntülerinden ve eğilimlerinden ibaret olduğunu söyler. Burada "davranış" derken, kendilerine herhangi bir zihinsel bileşenin eşlik etmediği salt bedensel hareketler kastedilir. Örneğin, davranışçıların kavramsallaştırmasına göre konuşma davranışı, yalnızca birinin ağzından çıkan seslerden ibarettir. Davranışçılığın hatalı olduğu açıkça görülmektedir, çünkü sözgelimi acı hissi ile ona eşlik eden davranışın birbirinden farklı şeyler olduğunu herkes bilir. C. K. Ogden ve I. A. Richards'ın da belirttiği gibi, davranışçılığa inanmak için "genel anestezinin etkisi altında" olmanız gerekir.[1]

---

1 *The Meaning of Meaning* (Harcourt, Brace, 1923), s. 23.

Davranışçılığın taşıdığı diğer bir sorun ise, davranışlarımıza zihinsel durumlarımızın *neden olduğu* şeklindeki sezgimize bir açıklama getirmemesidir. Örneğin, davranışçı bir analize göre, benim yağmur yağdığına dair inancım davranış örüntülerinden ve eğilimlerinden oluşur. Böyle bir inancımın olması, dışarı çıkarken yağmurluk giymem ve yanıma şemsiye almam gibi olguları içerir. (Bu davranışların bedensel hareketlerden ibaret olduklarını hatırlayın. Birtakım zihinsel bileşenlere sahip olduklarını düşünemeyiz.) Fakat bizler, inancın davranıştan *ibaret olduğu*nu söylemek yerine, inancın davranışa *neden olduğu*nu söylemek yönünde doğal bir eğilime sahibizdir.

Dahası, mevcut haliyle zihinsel olanı davranışa indirgeme şeklindeki davranışçı analiz doğru olamaz gibi görünüyor; çünkü bu analiz döngüseldir. Döngüseldir, çünkü bazı zihinsel durumların analiz edilmesi için başka bazı zihinsel durumların önceden varsayılması gerekir. Örneğin, yağmurun yağdığına dair inancımın şemsiye taşımam üzerinden kendini gösterebilmesi için aynı zamanda yağmurda ıslanmamayı da arzu etmem gerekir. Islanmamaya yönelik arzumun bu davranış üzerinden kendini gösterebilmesi için şemsiyenin beni kuru tutacağına dair bir inancımın da olması gerekir. Dolayısıyla açıkça akıl dışı görünmesinin dışında, davranışçılık kendi içinde en az iki sorunu daha barındırmaktadır. Birincisi, zihin ile davranış arasındaki nedensel ilişkiyi açıklayamaması; ikincisi ise, bir zihinsel durum ile davranış arasındaki ilişkinin diğer zihinsel durumlardan bahsetmeden analiz edilememesidir. İnançları analiz etmek için arzulara ve arzuları analiz etmek için de inançlara sahip olmak zorundasınız.

Bu sorunların ışığında, maddecilerin bir sonraki büyük hamlesi, zihinsel durumların beyin durumlarıyla özdeş olduğunu ortaya atmaktı. J. J. C. Smart ve diğerleri tarafından ileri sürülen bu kuram, "fizikselcilik" ya da "özdeşlik kuramı" olarak adlandırılır ve farklı türleri mevcuttur. Ancak bu kuramın da birtakım sorunları vardır. Öncelikle, zihinsel durum olmayan başka beyinsel durumlar da bulunduğu için, bir beyin durumunu bir zihinsel durum yapan şeyin ne olduğunu açıklayabilmemiz gerekir. Dahası, yalnızca beyinlerin zihinsel durumlara sahip olabileceğini söylemek de oldukça kısıtlayıcı görünmektedir. Neden diğer gezegenlerde ya da güneş sistemlerinde kimyasal yapıları bizimkinden farklı olmasına rağmen zihinlere sahip organizmalar bulunmasın?

Davranışçılık ve özdeşlik kuramlarındaki sorunlar, fizikselcilik ve davranışçılığın en iyi niteliklerinin birleşimi olduğu varsayılan ve bu ikisinin taşıdığı sorunların birçoğundan kaçınan "işlevselcilik" adındaki yeni bir kurama yol açtı. İşlevselcilik, zihin ile bedenin ilişkisine dair günümüz felsefecileri arasında en çok kabul gören kuramdır. Hilary Putnam ve David Lewis gibi bu kuramı savunan düşünürlere göre, zihinsel durumlar tümüyle fiziksel durumlardan ibarettir, fakat fiziksel kuruluşlarından ötürü değil nedensel ilişkilerinden ötürü "zihinsel" olarak tanımlanırlar. İşlevsel olarak tanımlanan kavramlar hakkında hepimiz bilgi sahibiyiz (nedensel ilişkiler bağlamında) ve zihinsel kavramları da bu tür kavramlarla analoji kurarak anlamalıyız.

Örneğin, saatleri ve karbüratörleri ele alın. Bütün saatler ve karbüratörler fiziksel nesnelerdir, fakat farklı türde maddelerden oluşabilirler. Bir şey, kendisini oluşturan maddelerden bağımsız olarak, yaptığı işe ya da kurduğu nedensel ilişkilere göre saat ya da karbüratör olur. Bu örneklerde olduğu gibi, zamanı gösterme ya da hava ile yakıtı birbirine karıştırma şeklinde belirli bir sonucu ortaya çıkaracak bir işi (ya da "işlev"i) yerine getirmesi koşuluyla herhangi bir madde bunu yapabilir. İşlevselcilere göre, söz konusu zihinsel durumlar olduğunda da vaziyet temelde aynıdır. Bütün inançlar ya da arzular fiziksel "sistemler"in fiziksel durumlarıdır, fakat bu sistemler farklı maddelerden yapılmış olabilirler. Bir şey, sistemini meydana getiren maddelere göre değil, yaptığı işe ve nedensel ilişkilerine göre bir arzu ya da bir inanç olacaktır. Dolayısıyla beyinler, bilgisayarlar, dünya dışı yaratıklar ve hiç şüphesiz diğer "sistemler", doğru nedensel ilişkilere sahip durumların sağlanması koşuluyla zihin sahibi olabileceklerdir.

Tipik bir işlevselci analizin nasıl gerçekleştirildiğini inceleyelim. Düşünün ki yağmurun yağdığına inanıyorum. Bu inanç, beynimin bir durumu olacaktır; ancak, tümüyle farklı bir fiziksel/kimyasal bileşime sahip olsa dahi bir bilgisayar ya da başka bir sistem de aynı inancı taşıyabilir. Öyleyse beyin durumlarımla ilgili hangi olgu bu inancı meydana getirmektedir? İşlevselci cevaba göre bir sistemin –insan, bilgisayar ya da başka bir şeyin– durumu, doğru nedensel ilişkilere sahipse yağmur yağdığına dair bir inanç oluşturabilir. Örneğin, yağmur damlaları gökyüzünden düşerken pencereden bakmamdan kaynaklanan beyin durumum olan inancım ile buna eşlik eden ıslanmama isteğim, yanıma şemsiye almak gibi belirli bir tür davranış çıktısına neden olur. Öyleyse bir inanç, belirli türden fiziksel sebeplere sahip bir fiziksel sistemin herhangi bir fiziksel durumudur ve arzular gibi belirli işlevsel durumlarla birlikte bu sistemin belirli türden fiziksel etkileri görülür.

Bu neden ve etkilerden hiçbirinin herhangi bir zihinsel bileşene sahip olduğunun düşünülemeyeceğini hatırlatmakta fayda var. Onlar sadece fiziksel ardışıklıklardır. İşlevselci, kesinlikle, bir inancın *ek olarak* nedensel ilişkilere sahip indirgenemez bir zihinsel durum olduğunu ifade etmez; tersine, bir inanç olmanın tümüyle bu nedensel ilişkileri *içerdiği*ni söyler. Doğru bir sebep-ve-sonuç ilişkisi örüntüsünün parçası olması koşuluyla bir inanç bir dizi nöron ateşlemesi, bir bilgisayardaki voltaj düzeyleri ve bir Marslıdaki yeşil salgı gibi *herhangi bir şey* üzerine inşa edilmiş olabilir. Burada ele alındığı şekliyle bir inanç yani bir X, yalnızca nedensel ilişkiler örüntüsünün parçası olan şeydir ve nedensel ilişkilerden oluşan örüntüdeki konumu itibarıyla inanç olarak adlandırılır. Bu örüntü, bir sistemin "işlevsel organizasyon"u olarak adlandırılır ve sistemin inanca sahip olabilmesi için yalnızca doğru işlevsel organizasyona sahip olması yeterlidir. Sistemin işlevsel organizasyonu fiziksel bir girdiyi alır, bu girdiyi sistemin içinde bir sebep-ve-sonuç ilişkileri dizisi boyunca işler ve fiziksel bir çıktı üretir.

"İşlevselcilik" kelimesi birçok farklı disiplinde farklı anlamlarda kullanıldığı için kafa karıştırıcı olabilse de, gördüğümüz gibi zihin felsefesindeki anlamı oldukça nettir. Çağdaş filozoflara göre işlevselcilik, zihinsel durumların işlevsel durumlar ve işlevsel durumların da fiziksel durumlar olduğu görüşüdür. Ancak, burada fiziksel durumların işlevsel durumlar şeklinde tanımlanmasının tek sebebi, sahip oldukları nedensel ilişkilerdir.

Hiç kimse —sahip oldukları umut, korku, sevgi, nefret, acı ve kaygıları bir yana— en derin inanç ve arzuları üzerine derinlemesine kafa yorarak işlevselci olmamıştır. Bana göre bu kuram tamamıyla mantık dışıdır. Fakat cazibesini anlamlandırabilmek için tarihi bağlamına başvurmamız gerekir. İkicilik, bilimsel görülmediği için kabul edilemez; davranışçılık ve fizikselciliğin geleneksel sürümleri ise başarısızlıkla sonuçlandı. Taraftarları açısından işlevselcilik, onların her birinin en iyi özelliklerini kendinde toplar. Eğer bir maddeciyseniz, işlevselcilik size tek mümkün alternatif gibi görünecektir ki bu durum işlevselciliğin neden günümüz zihin felsefesinin en kabul gören kuramı olduğunu açıklamaya yardımcı olmaktadır. Bilgisayar kullanımıyla da ilişkilendirilmiş sürümüyle bu kuram, yeni bir disiplin olan bilişsel bilimlerde de baskın hale geldi.

İşlevselciliğe sarılan bilişsel kuramcıların merkezi argümanı, beyindeki işlevsel durum ile bir bilgisayarın hesaplamalı durumunun tıpatıp aynı olduğudur. İster nöron ateşlemelerinin ister voltaj düzeylerinin örüntüsü olsun, iki durumda da önemli olan şey, durumun fiziksel özelliklerinden ziyade nedensellik ilişkilerinin örüntüsüdür. Dahası, görünüşe bakılırsa, bilgisayar programındaki işlevsel organizasyonun mükemmel bir modeline de sahibiz: Bir program, donanımın işlevsel organizasyonu şeklinde tanımlanabilir –yani program, donanımın istenilen sonucu vermesini sağlayacak organizasyonu temin eder. Bugünlerde çoğu işlevselci, zihinsel durumların, bir bilgisayarın "bilgi-işleme" durumlarından ibaret olduğunu söyleyecektir. Bilgisayar işlevselciliğinin benim "Güçlü Yapay Zeka" ya da "Güçlü YZ" olarak adlandırdığım uç bir sürümüne göre, beyin bir bilgisayar ve zihin de beyinde yürütülen bir programdır. Zihinsel durumlar da yalnızca beyindeki programa ait durumlardır. Bu nedenle şu anda yaygın bir biçimde kabul edilen görüş uyarınca zihinsel durumların maddeci, işlevselci, bilgi işlemeye dayalı ve hesaplamalı yolların tamamı kullanılarak analiz edilmesi gerekir.

Fakat böyle bir görüşü savunan kimsenin bilinçle ilgili önemli bir sorunu vardır. Ağrının davranışçı analizinde olduğu gibi, bilinçli ağrı hissinin yalnızca kafatasımın içinde bulunan bir bilgisayarın işlevsel olarak analiz edilmiş program durumlarından ibaret olduğunu düşünmek hiç akla yatkın değildir. Ağrı gibi bilinçli hisler söz konusu olduğunda, işlevselciler ile biz geri kalanların arasındaki fark en keskin halini almaktadır. Bizim sıradan, bilimsel, sağduyuya dayalı kavramsallaştırmamıza göre:

1. Ağrılar nahoş duyumsamalardır. Yani onlar nahoş, içsel, niteliksel, öznel deneyimlerdir.

2. Beyindeki ve sinir sisteminin geri kalanındaki belirli nörobiyolojik süreçler tarafından meydana getirilirler.

İşlevselci, bu iddiaların ikisini de reddetmek ve şöyle demek zorundadır:

1. Ağrılar, beyindeki ya da herhangi başka bir şeydeki işlevsel organizasyon örüntülerinin parçası olan fiziksel durumlardır. İnsandaki işlevsel organizasyon ise şu şekildedir: Yaralanma gibi belirli bir girdi uyaranı, sinir sisteminde fiziksel durumlara (bilgisayar işlevselciliğine göre hesaplamalı, bilgi-işleyen durumlar) yol açar ve buna karşılık, bu fiziksel durumlar da bir çeşit fiziksel çıktı davranışı meydana getirir.

2. Herhangi başka bir sistemde olduğu gibi insanlarda da işlevsel bir biçimde organize edilmiş fiziksel durumlar ağrılara sebep olmaz, onlar ağrının bizatihi kendisidir.

İşlevselci projeye sıcak bakan felsefeciler, bilinci açıklama sorunuyla karşı karşıya kaldıklarında bir seçim yapmak zorundadırlar: İşlevselcilikten vazgeçip bilincin indirgenemezliğini kabul etmek ya da işlevselcilikte kalıp bilincin indirgenemezliğini reddetmek. Thomas Nagel, bilinç sorunu yüzünden işlevselciliği reddeden felsefecilere bir örnektir. Dennett ise işlevselcilik uğruna bilinci reddetmiştir.[2]

2.

Şimdi, David J. Chalmers'ın *The Conscious Mind* adlı eserinin bu kadar çok dikkat çekmesinin, felsefecilerin ve bilişsel bilimcilerin konferanslarında tartışma konusu olmasının nedenlerinden birini görebiliriz.[3] Onun durumunun tuhaflığı, her iki görüşü birden kabul etmek istemesinde yatar. Yani bilince ulaştığı noktaya kadar maddeci, işlevselci hikayenin tamamını –Güçlü YZ ve diğerlerini– zihne dair bir açıklama olarak kabul eder. Fakat sonra işlevselciliğe olan genel bağlılığından ötürü işlevselci analizin konusu olmadığını ifade ettiği bilinci de bir yerlere iliştirmek ister. Ona göre maddi dünya, zihinsel kavramların işlevsel analizi üzerinden ele alındığında, üzerine gizemli bir biçimde iliştirilmiş işlevselci-olmayan indirgenemez bir bilince sahiptir. Ben bunu "tuhaf" olarak adlandırıyorum, çünkü işlevselcilik, tam da bilincin ve diğer zihinsel fenomenlerin indirgenemez varlığını kabul etmek-

---

2 Bkz. Thomas Nagel, "What is it like to be a bat?", *Mortal Questions* (Cambridge University Press, 1979), s. 165-180; bkz. 5. Bölüm'deki Dennett tartışması.

3 *The Conscious Mind: In Search of a Fundamental Theory* (Oxford University Press, 1996).

ten kaçınmak ve böylece ikicilikten uzak durmak amacıyla gelişmiştir. Chalmers ikisine birden taliptir: işlevselcilik ve ikicilik. Kendi durumunu şöyle özetlemektedir: "Bir kimse, bilincin işlevsel organizasyondan doğduğuna ama işlevsel bir durum olmadığına inanabilir. Benim savunduğum görüş de böyle bir biçime sahip. Bunu *indirgemeci-olmayan işlevselcilik* diye de adlandırabiliriz. Bu görüş, işlevselcilik ile nitelik ikiciliğini birleştirmenin bir yolu olarak görülebilir" (s. 249). Daha kısa ve öz bir şekilde, "Biliş işlevsel olarak açıklanabilir; bilinç ise böylesi bir açıklamaya karşı direnç gösterir" (s. 172).

Chalmers, (1) bilincin işlevselcilikle açıklanamayacağını kanıtlamak amacıyla işlevselciliğe karşı olan çeşitli yazarlar tarafından geliştirilmiş standart argümanları kullandığı ve (2) sonrasında da benzer argümanları genel anlamda işlevselcilik karşıtı oldukları için kabul etmeyi reddettiği için bu durum daha da tuhaf bir hal alır. Örneğin, aralarında ben ve Ned Block'un da bulunduğu çeşitli felsefeciler tarafından geliştirilmiş bir argümana göre, bir işlevselci uygun olmayan her türlü sistemin zihinsel durumlara sahip olduğunu söylemeye mecbur kalırdı. İşlevselci görüş bira kutularından, pin-pon toplarından ya da Çin halkının tamamından oluşan bir sistemin inanç, arzu, ağrı ve kaşıntı gibi zihinsel durumlara sahip olabileceğini savunur. Fakat bu, mantığa aykırı görünmektedir.

Chalmers, işlevsel organizasyonun henüz kendiliğinden bilinçli olmadığını ifade eder. Bilinç, işlevsel organizasyona eklenmek zorundadır. Fakat organizasyon, zihinsel durumlara ait unsurları kendi bilinç-siz biçimlerinde bulundurur. Daha sonrasında Chalmers, ileride de göreceğimiz üzere, bu durumun bilinci nasıl "meydana getirdiği"ni göstermeye çalışacaktır. Bilinçten kastedilen şey ile işlevsel organizasyonun aynı olmadığına inandığı halde, bu ikisinin her zaman birlikte olduğunu düşünür. Kendisi bunu şu şekilde yazıyor:

> Organizasyonun silikon çiplerde, Çin'in nüfusunda, bira kutularında ya da pin-pon toplarında gerçekleşip gerçekleşmediğinin bir önemi yoktur. İşlevsel organizasyon düzgün olduğu sürece, bilinçli deneyim ortaya çıkarılacaktır. (s. 249)

Peki neden böyle bir ifade kullanıyor? Bilgisayar işlevselciliği ile nitelik ikiciliğinin bu tuhaf evliliğine zemin hazırlayan şey nedir? Bence

The Conscious Mind, günümüz bilişsel çalışmalarında bulunan kat'i bir umutsuzluğun belirtisidir. Bir yanda bilişsel bilimlerin ana araştırma programını oluşturan bilgisayar işlevselciliğinden vazgeçmenin zorluğu, diğer yandaysa bugüne kadar hiç kimsenin bilinç hakkında biraz olsun akla yatkın bir işlevselci açıklama yapamadığı gerçeği vardır. Chalmers, işlevselciliğe olan bağlılığının üzerine basit bir biçimde bilinci iliştirmiştir. İlerleyen sayfalardaki değerlendirmelerimde de görüleceği üzere, söz konusu eseri bilinç hakkında kabul edilebilir bir açıklama sunmamaktadır, fakat yine de geniş çevrelerce adeta çığır açıcı bir esermiş gibi sunulmuştur. Ben bunu, bilişsel çalışmalar alanındaki çoğu kimsenin –sonunda– kabul etmeye hazır olduğu bilincin varlığının ve indirgenemezliğinin kabulü ile insanların ideolojik gerekçelerle arzuladıkları işlevselciliği birleştiriyor gibi görünmesine bağlıyorum.

Chalmers kitabına bilinç konusunu ciddiyetle ele almamız için ısrar ederek ve bilincin indirgenemezliği üzerine bir tartışma yürüterek başlar. Buraya kadar bir sorun yok.

Kendisinin bilincin indirgenemezliğini savunurken kullandığı argümanlar Thomas Nagel, Frank Jackson, Saul Kripke, ben ve başkalarının kullandığı argümanların uzantıları ve genişletilmiş halleridir. Belki de en basit (ve kendisine en çok yaslandığını düşündüğüm) argüman, bilinçdışı zombilerin mantıksal imkanına dayanır. Eğer tıpkı bizim gibi organize olmuş ve tamamen bizimle aynı davranışsal örüntülere sahip fakat bilinçten tümüyle yoksun zombilerin varlığını hayal etmek mantıksal açıdan mümkünse (kendi kendiyle çelişmiyor olması anlamında), o zaman buradan hareketle bilincimizin de mantıksal açıdan yalnızca davranışlarımıza ya da işlevsel organizasyonumuza bağlı olamayacağı sonucuna varılır. Daha önce böyle bir durumu tasvir ederken okuyucudan kendi beyinlerinin, normalde davranışa eşlik eden bilinç olmadan da davranışlar üretebilen silikon bir çiple değiştirildiğini hayal etmelerini istemiştim.[4] Örneğin bu silikon çipler, uyanıp odanın bir yanından diğer yanına geçmemizi sağlayacak bir uyarıyı iletebilir, fakat biz bu şekilde hareket ettiğimizin bilincinde olmayabiliriz. Eğer böyle bir şey hayal edilebiliyorsa –ki görünüşe göre kesinlikle edilebiliyor– o halde bilinç yalnızca davranış ya da işlevsel organizasyonla sınırlandırılamaz.

---

4 John R. Searle, *The Rediscovery of the Mind* (MIT Press, 1992), s. 65 ve devamı.

Örneğin beynimin yerine silikon çipler yerleştirilmesi sonucu ortaya çıkan makinedeki "sistem" bilinçli herhangi bir hisse sahip olmamasına rağmen, makinenin "Sana ilk görüşte âşık oldum" ya da "Bu şiir dizelerini çok heyecan verici buluyorum" şeklinde sesler çıkarabildiğini varsayın. Makine bu sesleri üretse de, bir ses kaydedici ya da birleştiriciden daha fazla hisse sahip değildir. Böyle bir sistemin var olabileceği varsayımı, kendi kendisiyle çelişecek herhangi bir şey taşımadığı için mantıksal açıdan mümkündür.

Chalmers bu argümanı, kendisinin yerinde olsam çekmeyi istemeyeceğim bir yönde bir adım daha öteye taşır ve normal bir insanla fiziksel açıdan en son molekülüne kadar aynı fakat hiçbir bilinçli duruma sahip olmayan bir sistem hayal etmemizi ister. Bana soracak olursanız bu imkansızdır, çünkü beynin yapı ve işlevinin bilinci üretmek için nedensel açıdan yeterli [*sufficient*] olduğunu biliyoruz. Chalmers da böyle bir vakanın biyolojik olarak imkansız olduğuna katılacaktır. Ancak kendisi, biyoloji kanunları söz konusu olduğunda, mantıksal açıdan gerekli [*necessary*] bir şeyin bulunmadığına işaret ediyor. Bu kanunların farklı olduğu bir dünya hayal edebiliriz. Bütün fiziksel tanecikleri dünyamızınkiyle tamamen aynı olan ve içerisinde her birimizin tıpatıp aynısı bilinçsiz birer zombi ikizinin bulunduğu bir dünya varsayımında bulunmak, kendi içinde çelişki barındırmadığı sürece mantıksal açıdan elbette ki mümkündür. Böylesi bir dünyada zombi ikizlerimiz, "Bu dizeleri çok heyecan verici buluyorum" şeklinde sesler çıkarabilirler fakat hiçbir bilinçli deneyime sahip değildirler. Eğer öyleyse, Chalmers'ın bakış açısına göre bilinç, fiziksel dünyaya eklenmiş bir şeydir ve onun parçası değildir. Eğer bilincin yokluğu fiziksel dünyada herhangi bir değişim yaratmıyorsa, o halde bilinç fiziksel dünyanın bir parçası değildir.

Bu argüman mevcut haliyle geçersizdir. Eğer doğa kanunlarının farklı olduğu mucizevi bir dünya hayal ediyorsam, mikroyapıları bakımından bizimkiyle aynı fakat üst-düzey nitelikleri bizimkinden oldukça farklı bir dünyayı da kolaylıkla hayal edebilirim. Örneğin, domuzların uçabildiği ve taşların canlı olduğu bir dünya hayal edebilirim. Fakat tüm bu bilimkurguları hayal edebiliyor olmam, canlılığın ve uçma davranışının fiziksel nitelikler ve olaylar olmadığını göstermez. Dolayısıyla, zombi argümanını genişletmekle Chalmers, onun geçersiz bir sürümünü ortaya koymuştur. Argümanın asıl sürümünün tasarlanma amacı, bilinç için davranışın ve işlevsel organizasyonun tek başına yeterli olmadığını göstermekti. Chalmers ise, bu argümanı, doğa kanunlarının farklı olduğu bir dünyada bilinç taşımadan da fiziksel özelliklerimizin tamamıyla korunabileceğini göstermek üzere kullanıyor. Buradan hareketle de, bilincin fiziksel bir nitelik olmadığı sonucuna ulaşıyor. Fakat böyle bir akıl yürütmeyle bu sonuca varılmaz.

3.

Chalmers'ın bilincin varlığına ilişkin açıklamasını incelemeye geçmeden evvel, gelin gerçek hayatta bilincin nasıl işlediğini tekrar hatırlayalım. Tipik bir vaka üzerinden, ağrının bilinçli durumunu nasıl edindiğimi inceleyelim: Başparmağıma bir çekiçle vurdum. Bu benim bilinçli, nahoş bir ağrı hissi duyumsamama neden olur. Ağrımın şiddeti "Ahh!" diye bağırmama neden olur. Ağrının kendisi ise sinir sisteminde duyusal reseptörlerden başlayıp beyinde muhtemelen talamus, beynin diğer bazal bölgeleri ve bedensel-duyusal kortekste sonlanan belirli bir dizi nörobiyolojik olay tarafından oluşturulur. Nörobiyolojik ayrıntılarla ilgili söylenmesi ve bilinmesi gereken elbette ki çok fazla şey mevcuttur, fakat anlattığım hikâye özü itibarıyla doğrudur. Zaten bu sorular üzerine felsefe yapmaya başlamadan önce bunun gibi bir şeyin doğru kabul edilmesi gerekir. Fakat Chalmers bunların hiçbirini kabul edemez. Bilinç ile fiziksel gerçeklik arasında yaptığı metafiziksel ayrım sebebiyle, belirli nörobiyolojik özelliklerinin bilinçli ağrının oluşumunda beyinlerin herhangi bir özel nedensel role sahip olmadıklarını düşünür. Ayrıca onun yaptığı tanıma göre bilinçli ağrı, fiziksel davranışın nedensel açıklamasını sağlayamaz. (Daha sonra Chalmers, beyinler de dahil olmak üzere evrendeki her şeyin bilinci "ortaya çıkardığı" fakat bunun beynin belirli nörobiyolojik yapısıyla hiçbir alakasının bulunmadığı sonucuna varacaktır. Her şey işlevsel organizasyonla alakalıdır.)

Eğer ileri sürdüğü nitelik ikiciliğini ve işlevselciliğini göz önüne alırsak, acaba Chalmers ne diyecektir? Nitelik ikiciliği, ağrının hiçbir şekilde fiziksel dünyanın bir parçası olmadığını ifade etmesini gerektirir. Nitelik ikiciliğini benimseyenler için ağrı, fiziksel değil zihinsel bir fenomendir. İşlevselcilik görüşü ise, ağrının tümüyle fiziksel bir duruma dayandığını, bu durumun diğer başka fiziksel durumlarla nedensel açıdan ilişkili olduğunu söylemesini gerektirir. Fakat hem zihnin işlevselci analizini hem de bilincin indirgenemezliğini kabul etmesi durumunda, bilincin varlığını işlevsel organizasyondan ayrı bir fenomen olarak açıklaması için *bir şeyler* daha söylemek zorundadır.

Nihayetinde, "ağrı"nın aslında iki anlamı olduğunu ifade eder: Birisi, ağrının hiç de bilinçli bir durum olmadığını gösteren işlevselci veya fiziksel anlam; diğeri ise, ağrıların nahoş duyumsamalar olduğu örneğinde de ifade edilen, bilince dayanan anlamdır. O halde sorun bu ikisi arasındaki ilişkiyi açıklamaktır ve Chalmers, tek çarenin "yapısal tutarlılık ilkesi"nden [*the principle of structural coherence*] faydalanmak olduğunu düşünür. Bu ilke, bilincin yapısının işlevsel organizasyon tarafından, işlevsel organizasyonun da bilincin yapısı tarafından yansıtıldığını ifade eder. Chalmers ise, bu mükemmel bağıntıdan yararlanarak, bilinçli durumları işlevsel durumlar bağlamında açıklamayı amaçlar. Sonuç, daha önce de belirttiğim gibi, nitelik ikiciliği ve işlevselciliğin bir birleşimidir. İşlevsel durumların bilinçli durumlara *neden olduğu*nu söyleyerek işin içinden sıyrılması da mümkün değildir, çünkü ikiciler bu iki alan arasındaki nedensel ilişki konusunda daima sıkıntı çekmiştir. Dolayısıyla ümitsiz bir biçimde, "bilinç, beynin *işlevsel organizasyon*u sonucunda ortaya çıkar" der (s. 248).

Bilince dair getirdiği açıklama bu şekildedir. Bu açıklamanın ne kadar mantık dışı ve saçma olduğunu kendimize sürekli hatırlatmamız oldukça önemlidir. Gerçek hayatta, en azından insanlar söz konusu olduğunda, bilinç ile "işlevsel organizasyon" arasında oldukça iyi bir eşleşme mevcuttur. Ancak genelde bu eşleşme, organizasyonun belli kısımlarının bilince neden olması ve bilincin de organizasyonun diğer kısımlarına etki etmesi şeklindedir. Hatırlayalım, "işlevsel organizasyon" yalnızca girdi uyarısıyla başlayıp davranış çıktısıyla son bulan fiziksel neden ve sonuç örüntülerine karşılık gelir. *Tutarlılığı açıklamak için bilince ihtiyaç vardır, bilinci açıklamak için tutarlılığa değil.* Çekiç-Başparmak-Ağrı-Aah sıralaması üzerinden işlevsel organizasyon ile bilinç arasındaki eşleşmeyi düşünelim. Başparmağa vuran çekiç sonuçta bilinçli ağrı deneyimini ortaya çıkaran bir dizi nöron ateşlemesine neden olur ve buna karşılık ağrı da insana "Aah!" dedirtir. Böyle bir işlevsel organizasyon ağrının neden-oluşunu açıklamak için oldukça yetersizdir. Ağrılar, insanların ve diğer hayvanların sinir sistemi içerisinde meydana gelen şeyler tarafından çetrefilli bir biçimde oluşturulur. Arabalar ve termostatlar gibi cansız nesneler, siz istediğiniz kadar işlevsel organizasyona sahip olun, ağrıya ve bilince sahip olmazlar.

Görebildiğim kadarıyla Chalmers, bilinç ile işlevsel organizasyon arasında mükemmel bir eşleşme olması gerektiği iddiası üzerine yalnızca bir tane sağlam argüman geliştirmiştir. Bu argüman, iki farklı sürümüyle kendini gösterir: Birinin kaynağı "sönümlenen nitelceler" [*fading qualia*], diğerininki "dans eden nitelceler" [*dancing qualia*] ("nitelceler" bilinçli durumların niteliksel yönünü ifade eder) olmasına rağmen bu iki argüman esas itibarıyla aynıdır. Argümanın temel düşüncesi, bilinç ile işlevsel organizasyon arasında bir yanlış eşleşme olamayacağıdır; çünkü böyle bir şey mümkün olsaydı bir sistemin işlevsel organizasyonu ve dolayısıyla davranışları sabit kalmasına rağmen, bilinçli durumların sönümlendiğini ("sönümlenen nitelceler") hayal etmek mümkün olurdu. Ayrıca bir sistemin davranışlarıyla sistematik bir biçimde ilişkili olmadan da bilinçli durumların değiştiğini hayal etmek mümkün olurdu ("dans eden nitelceler"). Fakat o bunların imkansız olduğunu, çünkü zihinsel içerikteki herhangi bir değişimin "işlevsel organizasyondaki bir değişim"e ve dolayısıyla davranışa "yansıtılması" gerektiğini söyler.

Fakat bu argüman yalnızca meselenin bir noktasını tekrar ederek onu doğru kabul eder ve kanıtlayamaz. Bir sistemin, bilinçdışı olmasına rağmen bilinçliymiş gibi davranmasını mümkün kılacak bir işlevsel organizasyon örüntüsünün üretilebildiğini farz edin. Örneğin, düşünün ki bilinçli olmadığı halde öyleymiş gibi davranan bir robot yapılmış olsun. Dahası, benim de kabul ettiğim gibi, beyin süreçlerinin bilince neden olduğunu ve bu robotun da bilinci ortaya çıkarmaya yetecek türden bir beyin yapısına sahip olmadığını farz edin. Böylece, işlevsel organizasyon ile bilinç arasında bir uyuşmazlık elde etmiş olursunuz. Bu robot işlevsel organizasyona sahiptir ancak bilinci yoktur. Chalmers'ın öne sürdüğü argümanda hiçbir şey böylesi bir durumun imkansız olduğunu göstermez. Bu yüzden, ileri sürdüğü argümanda işlevsel organizasyon ile bilincin her zaman birlikte yürümesi gerektiğini gösteren bir şey de bulunmaz.

Dahası bunlardan bağımsız olarak biliyoruz ki belirli davranış biçimleri ile belirli bilinç biçimleri arasında her türlü kırılma elde edilebilir. Örneğin, Guillain-Barre sendromlu bazı hastalar davranışlarıyla hiçbir şekilde dışa vuramadıkları, normal, bilinçli bir içsel yaşantıya sahiptirler. Tamamen felçlidirler; o kadar ki, doktorlar bu hastaların bilinçdışı olduklarını, hatta beyin-ölümlerinin gerçekleştiğini düşünürler. "İşlevsel organizasyon" düzgün değildir, çünkü dehşet içindeki felçli hasta tamamen bilinçli olduğu halde bilincini davranışları üzerinden sergileyememektedir.

Kaldı ki mükemmel bir eşleşme yaşansaydı da bu, bilincin bir açıklaması olamazdı. Hâlâ bazı şeyleri bilmemiz gerekirdi: Bilinç nasıl işliyor? Özel bir maddeyle ilişkilendirilmeden, tümüyle biçimsel olarak özelleşmiş bu *organizasyon* nasıl hisse neden olur? Ortaya konulan düşüncenin tamamı, beyin bilimlerinden öğrendiğimiz her şeye tamamen ters düşer. Bütün bunlardan bağımsız bir biçimde beyin süreçlerinin bilince *yol açtığı*nı biliyoruz.

4.

İşlevselcilik ya da nitelik ikiciliğinden yana söylenecek pek bir şey olmadığına inanıyorum; fakat Chalmers'ın kitabı bu ikisini birleştirme girişiminin yol açacağı oldukça saçma sonuçları gözler önüne serer. Yine de bu şekilde davranması kendisini oldukça mantıksız sonuçlara ulaştırsa bile, görüşlerinin mantıksal sonuçlarını yerine getiriyor olduğu için Chalmers'ı takdir etmeli. Mantıksızlık düzeyleri küçükten büyüğe sıralanmış bir biçimde bu sonuçlardan bazılarını şöyle ifade edebiliriz:

1. Genel olarak *psikolojik terimler* –"ağrı", "inanç", "umut", "korku" ve "arzu" gibi– *birbirinden tümüyle ayrı iki anlama sahiptir: maddi varlıklara göndermede bulunan maddeci veya işlevselci anlam ile bilinçli varlıklara göndermede bulunan bilinç anlamı.* Örneğin maddeci anlama göre bir yerinizin ağrıması, daha önce açıkladığım gibi, işlevsel olarak analiz edilmektedir. Bu tanım bağlamında, ağrılara dair bilinçli hiçbir şey yoktur. Yalnızca işlevsel organizasyonun fiziksel örüntüleri mevcuttur. Bunlar yoluyla belirli türden girdi uyaranları, belirli türden çıktı davranışlarına neden olur. Fakat "ağrı"nın aynı zamanda içsel hislerimize göndermede bulunan tamamen farklı bir anlamı –gerçekten acı veren bilinçli duyumsama– daha vardır. Chalmers'a göre, maddeci anlam açısından bilinçdışı bir zombi de ağrılara, korkulara ve arzulara sahiptir; hatta kaygı, depresyon, sevgi ve yılgınlık da yaşar. Bir kadın,

bir erkek ya da bir cisim olarak düşünebileceğimiz bu zombi, maddeci bağlamda –kesinlikle hiçbir şey hissetmese de–bilinçli ikiziyle tamamen aynı hislere sahiptir. Zombi yalnızca bilinç bağlamında bu hislerden yoksundur.[5]

Chalmers bu iki tür fenomenin birbirinden bağımsız oluşunun bizi endişeye sürüklememesi gerektiğini, çünkü gerçek hayatta bu ikisinin daha önce bahsetmiş olduğum tutarlılık ilkesi uyarınca neredeyse her zaman beraber yürüdüklerini söyler. Fakat görünen o ki, tutarlılık pek de işimize yaramıyor. Çünkü:

2. *Bilincin, dünyada gerçekleşen fiziksel her şeyle açıklayıcılık bakımından ilişkisiz olduğu görülüyor; özellikle insan davranışının açıklanmasıyla hiçbir ilişkisi yoktur.* Chalmers'ın bilinci fiziksel dünyanın parçası olarak görmeyen ikici görüşü *ile* "fiziksel alan nedensel olarak kapalıdır" (s. 161) iddiası göz önünde bulundurulduğunda, bu sonuçtan nasıl kaçınabildiğini anlamak kolay değildir. İşte kendi cümleleri: "Neden-oluşun metafiziği nasıl sonuçlanırsa sonuçlansın, davranışın fiziksel açıklaması ne bilincin varlığından medet umar ne de onun varlığına işaret eder, bu görece apaçık bir durumdur" (s. 177). "[Bilinçli] deneyimin herhangi bir nedensel açıklamadan tutarlı bir biçimde çıkarılabildiği gerçeği, davranışın *açıklanması*nda [bilinçli] deneyimin gereksizliğine işaret eder...." (s. 158-159). Fiziksel evren nedensel olarak kendine-yeterlidir. Fiziksel olayların yalnızca fiziksel açıklamaları vardır ve bilinç fiziksel olmadığı için hiçbir açıklayıcı role sahip değildir. Örneğin aç olduğunuzun bilinciyle yemek yediğinizi, bilinçli bir biçimde müstakbel eşinize âşık olduğunuz için evlendiğinizi, canınızın yandığının bilincinde olduğunuz için elinizi ateşten çektiğinizi, ana konuşmacının fikirlerine bilinçli olarak katılmadığınız için toplantı sırasında söz aldığınızı düşünüyorsanız bunların her birinde yanıldınız demektir. Bu

---

5 Chalmers maddeci fenomenleri, "farkındalık" meseleleri ya da kelimelerin "psikolojik" anlamdaki meseleleri olarak tanımlar. Fakat bu kelimelerin sıradan anlamları için bu doğru bir kullanım değildir, çünkü bilinç olmaksızın farkındalık ya da psikolojik gerçeklik mümkün değildir. Bu nedenle onun yaptığı ayrımı kelimelerin maddeci anlamı ve bilinci temel alan anlamı ile bu kelimelere karşılık gelen maddeci ve bilinçli gerçeklik olarak tanımladım. Kaba bir ayrım olmasına rağmen bu tanımlamanın hem daha doğru hem de onun bulduğunu düşündüğü ayrımı açıklamak için daha az yanıltıcı bir yol olduğunu düşünüyorum.

durumların tamamında rol oynayan etki fiziksel bir olaydır ve dolayı-
sıyla bu etkiye tüm yönleriyle fiziksel bir açıklama getirilmelidir. Bilinç
varlığını sürdürse de davranışlarınızın ya da başka herhangi bir şeyin
açıklanmasında rol oynamaz.

İfadeler daha da kötüleşir:

3. *Bilincinizle ilgili kendi yargılarınız bile –ne tamamen ne de kıs-
men– bilincinizle açıklanamaz.* Örneğin, "Şu anda ağrı duyuyorum" ya
da hatta "Şu anda bilinçliyim" dediğinizde, ağrı çekmenizin ya da bilinçli
oluşunuzun, açıklayıcılık bakımından söylediğiniz şeyle hiçbir ilişkisi
yoktur. Çünkü söz söyleme, dünyadaki diğer olaylar gibi fizikseldir ve
tümüyle fiziksel nedenlerle açıklanmalıdır. Sizin bilinçten tamamen
yoksun zombi ikiziniz de aynı nedenlerle sizinle aynı cümleleri söyle-
yecektir. Doğrusu Chalmers'ın bilinçli durumların indirgenemezliğini
savunmak amacıyla bir kitap yazdığını, ancak onun bakış açısına göre,
bilinçli durumlarının ve onların indirgenemezliğinin kitap yazmasıyla
açıklayıcılık bakımından hiçbir ilişkisi olmadığını söyleyebiliriz. Bunlar
açıklayıcılık bakımından ilişkisizdirler, çünkü onun kitap yazması da
tıpkı diğer olaylar gibi fizikseldir ve dolayısıyla salt fiziksel bir açıkla-
ması olmalıdır.

Hatta daha da kötüsü geliyor:

Bilinci "ortaya çıkarma" işini gerçekleştiren işlevsel durum ne hak-
kındadır? Chalmers "bilgi" olduğunu söyler. Tabii buradaki bilgi, San
Jose'ye nasıl gideceğim konusunda sahip olduğum bilgi gibi, kelimenin
alışıldık sağduyuya dayalı anlamıyla değil, daha genişletilmiş bir "bilgi
kuramı" [*information theory*] bağlamında kullanılır. Bu bilgi kuramına
göre, dünyada fiziksel olan ve *"bir fark yaratan fark"* bilgidir (s. 281).
Chalmers'ın bilgi kavramsallaştırmasına göre, zemine düşen yağmur
"bilgi" içerir, çünkü zeminde değişikliklere yol açar. Fakat eğer bilinç,
bu genişletilmiş anlamdaki bilgiden doğuyorsa, o zaman:

4. *Bilinç her yerdedir.* Termostat bilinçlidir, mide bilinçlidir, beynim-
de benim bilincimin dışında çok sayıda bilinçli sistem bulunur, Saman-
yolu bilinçlidir, bir taşın içerisinde çeşitli bilinçli sistemler vardır... ve
benzerleri. Bunun sebebi, tüm bu sistemlerin genişletilmiş anlamdaki
"bilgi"yi içermesidir.

Panpsişizm adı verilen bu saçma görüş, bilinci "bilgi" kelimesinin bu aşındırılmış teknik anlamıyla açıklama girişiminin doğrudan bir sonucudur. Kitabının "Termostat olmak nasıl bir şeydir?" adını taşıyan ve bilinçli termostatların hayatını konu alan bölümünde Chalmers, "elbette bir termostat olmak çok da ilgi çekici değildir" (s. 293) der ve ekler: "Belki de bu durumların hepsini bizim siyah, beyaz ve gri deneyimlerimizle karşılaştırarak ele alabiliriz" (s. 294). Fakat bunun apaçık bir sonucuyla da yüzleşir: Eğer termostatlar bilinçliyse o zaman her şey bilinçlidir.

> Termostatlarla ilgili bir deneyim mevcutsa o zaman deneyim muhtemelen *her yerde*dir: Nerede bir nedensel etkileşim varsa orada bilgi bulunur ve nerede bilgi varsa orada deneyim bulunur. Birisi bir kayada –örneğin kaya genişlediğinde veya büzüştüğünde– ya da hatta bir elektronun farklı konumlarında bilgi durumları bulabilir. Dolayısıyla eğer kısıtlanmamış çift-yönlülük ilkesi doğruysa, bir kaya ya da bir elektronla ilişkili [bilinçli] deneyim de mevcut olacaktır. (s. 297)

Görüşlerinin sonuçlarını fark etmiş olması Chalmers'a itibar kazandırsa da, bu sonuçların saçmalığını görememesi kendisi için olumlu bir durum değildir. Genellikle bir *saçmaya indirgeme* [*reductio ad absurdum*] argümanıyla karşılaştığı vakit, yalnızca saçmalığı kabul ediyor. Bu durum bir kişinin 2 + 2 = 7 sonucuna ulaşıp "Evet, belki de 2 artı 2, 7'ye eşittir" demesine benzer. Örneğin kendisinin Ned Block'un daha önce sözünü ettiğimiz Çin Ulusu argümanına dair açıklamasını ele alalım. Block, işlevselciliğe şu şekilde karşı çıkar: Eğer işlevselcilik doğru olsaydı ve işlevsel organizasyon bir zihne sahip olmak için yeterli olsaydı, Çin halkını zihinsel durumlar için bazı işlevsel programları yürüten bir bütün olarak hayal edebilirdik. Her nöron bir vatandaşa karşılık gelirdi. Fakat bu halk bir bütün olarak ne bir zihin inşa ederdi ne de bilinçli olurdu. Chalmers ise kendisini çok zorlar ve evet, bir bütün olarak bu halk bir zihin inşa eder ve birlik halinde bilinçli olur, şeklinde cevap verir. Ara sıra insan kendisini böyle garip bir şekilde çok zorlayabilir, fakat bu kitap tümüyle bir zorlamadan ibaret.

Şimdiye kadar yalnızca Chalmers'ın açık bir biçimde kendisini adadığı saçmalıkların üzerinde durdum. Bu kısımlar da yeterince kötü, ancak okuyucuyu "spekülatif/kurgusal metafiziğin alanı"na girmek üzere olduğu konusunda uyardığı bir noktada (s. 302) (önceki 300 sayfadan farklı olarak?) işler tamamen çığırından çıkar. Bütün evrenin dev bir bilgisayar olabileceğini söyler bizlere. Belki de bütün dünya "saf bilgi"-den ibarettir (s. 303) ve nihayetinde bilgi, "fenomenal ya da protofeno-menal"dir (s. 305). Burada kastedilen, dünyanın tümüyle küçük, minik bilinç parçalarından oluşma ihtimalidir. Böyle görüşlerin "garip bir bi-çimde güzel" (s. 303) olduklarına bizleri ikna etmeye çalışır. "Bizler"in bir parçası olarak ben şahsen bu görüşleri güzel değil, garip bir biçimde rahatına-düşkün buldum.

5.

Bu saçmalıklarla yüzleşmesi gerektiğinde, Chalmers'ın verdiği iki standart retorik cevap vardır. Birincisi, beyinlerimizin yani kafatasla-rımızın içinde bulunan gri madde yığınının bilinçli olabileceğini düşün-menin de aynı ölçüde mantık dışı olduğu iddiasıdır. "Bu gri madde par-çalarının canlı öznel deneyimleri üretebilecek türden bir şey olabileceği kimin aklına gelirdi?" (s. 251). Peki eğer beyinler bunu yapabiliyorsa, ki yapabiliyorlar, o halde termostatlar ve geriye kalan her şey neden yapamasın? İkinci olarak, argümanın ana fikrini değiştirmeye çalışır. Asıl, termostatların neden bilinçli *olmadığını bizim ona* açıklamamız gerekiyormuş:

> Bir termostatın [bilinçli] deneyimlere sahip olabileceği düşüncesini "çıl-gınca" bulan kişi, en azından bunun *neden* çılgınca olduğu konusunda bize bir açıklama borçludur. Muhtemelen bu, termostatların deneyim sahibi olmaları için açıkça gerekli olan bir nitelikten yoksun olmaların-dan kaynaklanmaktadır, fakat kanımca böyle bir nitelik kendini açık bir biçimde ortaya koymuyor. İşlemleme düzeyinde belki de bir farenin sahip olup termostatın olmadığı ya da bir insanın sahip olup farenin olmadığı çok önemli bir bileşen vardır, fakat ben deneyim için *açıkça* gerekli böyle bir bileşen göremiyorum ve böyle bir bileşenin gerekliliği de açık değildir. (s. 295)

Bu soruların her birinin cevabı kısaca ortaya konulabilir ancak daha derin soru, bu cevapların neden Chalmers'ın aklına gelmediğidir. Birin-cisi, biyolojinin kaba gerçeklerinin söz konusu olduğu yerde, makuliyetle ilgili argümanların yeri olmaz. Beyinlerin bilinci ortaya çıkarması, do-ğayla ilgili oldukça yalın bir olgudur. Bu bana hiç de mantık dışı gelmez, çünkü herhangi bir felsefi argümandan bağımsız bir biçimde öyle olduğunu biliyorum. Eğer bu durum biyolojiden bihaber insanlara hâlâ mantık dışı geliyorsa, onların hali daha da beterdir. İkincisi, beyinlerin bilince neden olduğunu ve bunu –henüz çok iyi anlaşılamamış olan– oldukça özel nörobiyolojik yapılar ve işlevler aracılığıyla yaptığını biliyoruz. Şimdi beyinlerin bilince neden oldukları gerçeğinden çıkan sonuç, bilince neden olabilecek başka herhangi bir şeyin de, en azından insan ve hayvan beyinlerinin bilinci üretmek için sahip oldukları asgari güçlere denk düşen uygun *nedensel* güçlere ihtiyaç duyacağıdır. Beyinlerin bunu nasıl yaptığına dair ayrıntıları bilmesek de, bizi bilinç eşiğinin üzerine çıkaran bazı güçlere sahip olduklarından haberdarız. Başarıya ulaşacak herhangi bir yapı da bu ölçüde nedensel güce sahip olmalıdır.

Bu nokta doğa hakkında bildiklerimizin basit bir mantıksal sonucudur. Örneğin arabamı gaz motorumun sürdüğü kadar hızlı sürecek bir dizel motor üretmek istiyorsanız, motorunuz en azından benimkine eş bir güç çıktısına sahip olmalıdır. Silikon çipler ya da vakum tüpleri gibi farklı ortamlar kullanarak yapay bir beyin inşa edebilirsiniz, ancak ortam her ne olursa olsun bilinci ortaya çıkarmak için en azından beynin eşik değeri aşma kapasitesiyle eşdeğerde olmalıdır. Şimdi bu bağlamda termostatları nasıl düşünebiliriz? Termostatların bilinçli olabileceğini düşünmek kendi içinde çelişkili ya da mantıksal olarak saçma değildir, fakat biyolojiyi ciddiye alan bir kimse için böyle bir şey söz konusu dahi olamaz. Bilincin öznel durumlarını nasıl ortaya çıkardığını görmek için termostatımızı parçalarına ayırdığımızda hangi özelliklerine odaklanmamız gerek? Duvarımdaki termostat bilinç için uzak bir aday olmaya yetecek bir yapıya dahi sahip değildir.

Fakat daha da kötüsü, bir kategori olarak termostatlar için aranabilecek hiçbir şey yoktur; çünkü "termostat" bir fiziksel nesne türüne verilmiş bir isim dahi değildir. Sıcaklık değişimine yanıt veren ve belirli sıcaklıklarda başka mekanizmaları devreye sokabilen herhangi bir mekanizma termostat olarak kullanılabilir ve her türlü şey bu işlevi yerine getirebilir. Benim termostatım ısı ölçer bir şerit mekanizmasına dayanıyor. Ama siz bir döngüyü tamamlamak için civanın genleşmesinden yararlanan bir termostat da satın alabilir ya da isterseniz, termometreyi takip edecek ve termometre belirli sıcaklıklara ulaştığında kaloriferleri yakacak veya söndürecek birini işe alabilirsiniz. Bu sistemlerin hepsi eşit şekilde "termostat" olarak isimlendirilebilir; fakat yaptıkları şey, beynin nedensel güçlerine ulaşmak için uzak bir aday dahi olamaz. İnsan beynini içeren sistem dışında bu sistemlerin hiçbiri beynin bilinci ortaya çıkarırken yaptığı şeyi yapamazlar, yaptıklarını düşünmek nörobiyolojik açıdan mantıksızdır.

6.

Peki, yanlış giden neydi? Chalmers ulaştığı şaşırtıcı sonuçların, bilinci ve onun indirgenemezliğini ciddi olarak ele almanın mantıksal bir sonucu olduğunu düşünüyor. Bana göre bu sonuçlar bilincin bu şekilde ciddiye alınmasından değil indirgenemezlik tezinin tuhaf bir biçimi olan nitelik ikiciliğinin, zihinsel işlevi bilgi işlemeyle tanımlayan çağdaş, işlevselci, hesaplamacı zihin anlayışıyla birleştirilmesinden kaynaklanıyor. Bütün biçimleriyle işlevselciliği ve tarihsel olarak işlevselciliğe yol açmış ikicilik, tekçilik gibi geleneksel metafiziksel kategorileri atarak onlardan kurtulduğumuzu varsayalım. Bu hataların ikisinden de kurtulabilirsek, o zaman Chalmers'ın saçma sonuçlarına ulaşmadan da bilinci ciddiyetle ele alabiliriz. Özelleştirecek olursak:

1. "İnanç", "arzu", "ağrı" ve "sevgi" gibi psikolojik terimlerin biri bilinçli durumlarla diğeri maddi durumlarla ilişkili iki tanımı bulunmaz. Aksine, sadece bilince erişebilmiş sistemler herhangi bir psikolojiye sahip olabilir ve hepimiz çok sayıda bilinçdışı zihinsel duruma, bilinçdışı inançlara ve arzulara sahip olsak da bunları potansiyel olarak bilinçli zihinsel durumlar şeklinde kabul ederiz. Çünkü onların normalde bilinçli olabilecek türden şeylerken baskılanma, beyin hasarı ya da sadece uykuya dalıyor oluşumuz yüzünden bilinçli olmadıklarını düşünürüz.

2. Bilincin "açıklayıcılık bakımından ilişkisiz olduğu"nu, yani bilincin davranışı açıklamada herhangi bir rol oynamadığını söylemek zorunda değiliz. Doğanın belki de bu şekilde işlediği ortaya çıkabilir, ama bu çok düşük bir ihtimaldir. Mevcut bulgulara göre bilinç, tıpkı diğer fiziksel sistemlerin üst-düzey özelliklerinde (örneğin, arabamın motorundaki pistonların sertliği) olduğu gibi, davranışın açıklanmasında çok önemli bir yere sahiptir. Bilinç de sertlik de, alt-düzeydeki mikroelementlere bağlıdır ancak her ikisi de nedensel olarak bir

amaca hizmet eder. Ne bir araba motorunu tereyağından yapılmış bir pistonla çalıştırabilirsiniz ne de bilinçsizseniz kitap yazabilirsiniz.

3. Bilincin insan davranışının açıklanmasında temel unsur olduğunu kabul ettiğimizde, buradan bilincin, söz konusu kendi temsiliyken daha kuvvetli bir biçimde temel unsur olduğu sonucu çıkar. Ağrı içerisinde olduğuma dair yargım ağrı içerisinde oluşumla açıklanır, bilinçli olduğuma dair yargım da bilinçli oluşumla açıklanır ve Chalmers'ın bilinçle ilgili bir kitap yazışının açıklaması da, kendisinin bilinçle ilgili bilinçli bir biçimde aktarmak istediği belirli bilinçli fikirlere sahip olmasıdır.

4. Evrendeki her şeyi bilinçli kabul eden panpsişizm görüşünü benimsemek için en ufak bir sebep yok. Her şey bir yana, bilinç biyolojik bir fenomendir ve safranın salgılanmasında ya da karbonhidratların sindirilmesinde olduğu gibi, kendi biyolojisiyle sınırlandırılmıştır. Chalmers'ın kitabında bulunan tüm saçma sonuçların en saçması panpsişizmdir ve bizlere bu görüşü ifade eden tezde bir şeylerin kökten yanlış olduğuna dair ipucu sunmaktadır.

7.

Bazı kitaplar bir sorunu çözdükleri ya da çözümüne işaret edecek şekilde ifade ettikleri için değil, zamanının kafa karışıklıklarına ait belirtiler taşıdıkları için önemlidirler. Chalmers'ın kitabı zihin felsefesinde ileriye doğru atılmış büyük bir adım olarak takdir topladı: Tucson'da bilinç üzerine gerçekleştirilmiş yakın tarihli bir konferansa katılan yüzlerce akademisyen tarafından çokça tartışıldı, *Time* dergisinin sayfalarında alıntılandı. Kitabın kapağı da çeşitli ünlü felsefecinin övgüleriyle bezendi. Oysaki, eğer doğru bir biçimde anladıysam, kitap bir kafa karışıklığı yığınından ibaret. Neler oluyor? Bu kafa karışıklıkları yalnızca tuhaf düşünsel tarihimizin ışığında anlaşılabilir. Zihinle ilgili olarak, modası geçmiş bir Kartezyen terminolojiyi ve beraberinde "ikicilik", "tekçilik", "maddecilik" ile geriye kalanların tamamını içeren bir kategoriler dizisini miras aldık. Eğer bu kategorileri ciddiye alır, sorularımızın bu terimlerle sorulması ve cevaplanması gerektiğini düşünür, üstüne bir de modern bilimi kabul ederseniz (seçme şansı var mı?), eninde sonunda maddeciliğin bir türüne sürükleneceğinize inanıyorum.

Fakat geleneksel biçimiyle maddecilik, en çok da bilinci açıklama konusundaki başarısızlığıyla oldukça açık bir biçimde yanlıştır. Bu yüzden sonunda işlevselcilik ya da hesaplamacılık köşesine geri dönmeniz muhtemeldir: Beyin bir bilgisayar ve zihin de bir bilgisayar programıdır. Ben bu görüşün de yanlış olduğunu, bilinç hakkında ise açıkça yanlış olduğunu düşünüyorum. Peki ne yapalım? Yakın bir zamana kadar bu sorularla ilgilenen insanların çoğu ya bilinç üzerine düşünmemeyi ya da onun varlığını reddetmeyi denediler. Şimdilerde bu o kadar da kolay değil. Chalmers ise daha fazlasını teklif ediyor: İşlevselciliğimizi korurken üzerine nitelik ikiciliğini de eklememiz gerektiğini düşünüyor. Bana göre bunun sonucu, yanlış bir doktrini iki tanesiyle değiş tokuş etmekten ibarettir. Chalmers'ın bu birleşimden bir *saçmaya indirgeme* çıkardığına inanıyorum.

Bilişsel bilimlere doğru hâlâ el yordamıyla ilerliyorken en doğru yaklaşım, eskimiş Kartezyen kategorileri unutmak ve beynin diğerleri gibi bir biyolojik organ, bilincin de sindirim ya da fotosentez gibi biyolojik bir süreç olduğunu kendimize hatırlatmaktır.

EK
David Chalmers ile Bir Fikir Teatisi

Bu bölümün *The New York Review of Books*'ta yayınlanmasının ardından Chalmers ile aşağıda yer alan fikir teatisinde bulunduk.

David Chalmers: *The Conscious Mind* adlı kitabımda, John Searle'ün "açık" kabul ettiği çok sayıda iddiayı reddettim ve kendisinin "saçma" bulduğu birtakım iddialar ortaya attım. Fakat eğer zihin-beden sorunu bize bir şey öğretmişse, o da bilinçle ilgili hiçbir şeyin açık olmadığı ve bir insan için açıkça doğruluk ifade eden bir şeyin diğerine göre saçmalık olabileceği gerçeğidir. Dolayısıyla bu türden laf atmalar yerine yapılacak en iyi şey, Searle'ün bu iddialara dokunan esaslı bir şey söyleyip söylemediğini görmek amacıyla iddiaların bizatihi kendilerini ve bu iddialar lehine ortaya koyduğum argümanları incelemektir.

İlk iddiama göre, bilinç dünyanın fiziksel olmayan bir özelliğidir. Bu konudaki ısrarcılığım, onun sağlam bir argüman tarafından dayatıldığı sonucuna varana kadar sürdü. Bu argümanın kendisi karmaşıksa da temel fikri oldukça basit: Dünyanın fiziksel yapısı –taneciklerin, alanların ve uzay-zamanındaki güçlerin tam dağılımı– bilincin yokluğuyla mantıksal olarak tutarlıdır, bu nedenle bilincin varlığı dünyamızı aşan ilave bir şeydir. Searle bu argümanın "geçersiz" olduğunu söyler: Uçan domuzların bu dünyaya eklenmesi durumunda, dünyanın fiziksel yapısının eskisiyle tamamen aynı tutarlılıkta olacağını; ama buradan hareketle, uçmanın fiziksel olmadığı sonucuna varılamayacağını öne sürer.

Burada Searle iki temel hata yapmaktadır. Birincisi, argümanın biçimini yanlış anlıyor. Uçmanın fiziksel olmadığını göstermek için, dünyanın fiziksel yapısının uçmanın *yokluğu* ile tutarlı olduğunu göstermemiz gerekir. Birinin dünyaya uçan domuzları *ekleyebileceği* yargısından hareketle hiçbir sonuca varılamaz. İkincisi, tasvir ettiği senaryo tutarlı değildir. Örneğin, uçan domuzların olduğu bir dünya, yeryüzünün metrelerce yukarısında havada asılı ilave birçok maddeye sahip olabilir; bu nedenle muhtemelen bizimkiyle aynı fiziksel yapıya da sahip olamayacaktır. Tüm bu noktaları bir araya getirdiğimizde, içerisinde uçma eylemi, domuzlar ya da kayalar bulunmayan ve bizimkiyle tamamen aynı fiziksel yapıya sahip bir dünya fikri kendi içinde çelişir. Fakat, Searle'ün de kabul ettiği gibi, fiziksel olarak bizimkiyle tamamen aynı ancak bilincin bulunmadığı bir dünya fikrinde hiçbir çelişki bulunmaz.

Bunun zemininde, domuzların –ve dünyayla ilgili diğer her şeyin– konumunun, dünyanın fiziksel yapısından mantıksal olarak türetilebilir oluşu yatar; ancak bu, bilincin varlığı için geçerli değildir. Dolayısıyla beyinlerin bilinci neden ve nasıl desteklediğini açıklamak için beyne dair bir açıklama yeterli değildir; araya köprü kurmak için bağımsız "köprü kurucu" kanunlara da ihtiyaç vardır. Bir kişi bu sonuca ancak bilinç hakkında katı bir deflasyonizmi benimseyerek direnebilir. Bu yolun da kendi içinde sorunları mevcuttur, fakat bilincin indirgenemez olduğu görüşüne sıkı sıkıya bağlı olan Searle için bu yolun kapıları zaten kapalıdır. İndirgenemezliğin de kendi sonuçları vardır ve tutarlılık, bu sonuçlarla doğrudan yüzleşmeyi gerektirir.

Sıradaki konu, benim indirgemeci-olmayan işlevselciliğim. Bu köprü kurucu kanun, aynı işlevsel organizasyona sahip sistemlerin aynı türden bilinçli deneyimlere de sahip olacaklarını iddia eder. Bu iddia için öne sürdüğüm detaylı argümanı, Searle'ün benimmişçesine sunduğu ve çürüttüğü önemsiz argüman üzerinden tanıyabilmek mümkün değildir. Kitabın 7. Bölüm'ünde ortaya konan ancak Searle tarafından görmezden gelinen temel argüman, bu iddianın yanlış olması durumunda bilinçli deneyimlerde bir öznenin asla fark edemeyeceği çok büyük değişikliklerin meydana geleceğidir. (Searle'ün kendi fikri 258. sayfada çürütülmüştür.) Kendisi, Guillain-Barre sendromlu hastaları iddiamın aleyhinde örnekler olarak sunmuştur. Ama burada da bir mantık hatası vardır. Benim ortaya attığım iddia, işlevsel açıdan birbirine eş varlıkları ele almaktadır. Dolayısıyla farklı şekilde işlev gören bu insanlara dikkat çekmek yersizdir. Bizimkinden farklı şekilde işleyen varlıkların bilinçsiz olduklarını ise kesinlikle iddia etmiyorum.

Son konu ise panpsişizm: Doğal dünyadaki tüm sistemlere bilincin farklı derecelerde eşlik ettiğine dair iddia. Burada Searle görüşümü yanlış ifade etmiştir: Ben onu yalnızca araştırıp bilinemezci olmakla yetinirken, kendisi benim bu görüşe "açıkça kendini adamış" halde olduğumu söylüyor ve hatalı bir biçimde, bunun nitelik ikiciliği ile indirgemeci olmayan işlevselciliğin karışımı olduğunu öne sürüyor. Bir kimse bu görüşleri tutarlı bir biçimde kabul edip panpsişizmi reddedebilir, dolayısıyla ikincisi ilkinin *"saçmaya indirgeme"* türünden bir ifadesi olarak işlev göremez. Ayrıca, benim "garip bir biçimde güzel" olarak tanımladığım, Searle'ün ise "garip bir biçimde rahatına-düşkün" dediği görüşü zaten reddetmiş olduğuma da dikkat çekmek isterim.

Panpsişizmin sıklıkla varsayıldığı kadar mantık dışı olmadığını ve bu görüşe öldürücü darbeyi indirecek karşı argümanın da bulunmadığını savunuyorum. Searle bu ikinci iddiamı doğrulamama yardımcı olmaktadır, çünkü "saçmalık" için itiraz ederken panpsişizme karşı sunduğu argümanların hiçbir dayanağı bulunmuyor. Bilinçli olabilmesi için bir sistemin bilinci ortaya çıkarabilecek uygun "nedensel güçler"e sahip olması gerektiğini söylüyor. Bu doğru, fakat önemsiz ve faydası da yok. Basit sistemlerin (termostat gibi) bilinç için ihtiyaç duyulan "yapı"ya sahip olmadıklarını da ifade ediyor. Bu söylediği tam da tartışmanın konusu olmasına rağmen, iddiasını destekleyecek hiçbir argüman sunmamaktadır. (Eğer bilinç için ne tür yapılara ihtiyaç duyulduğunu bilseydik, zihin-beden sorunu yarı yarıya çözülmüş olurdu). Dolayısıyla başladığımız yerdeyiz. Panpsişizm mantık dışı olmaya devam ediyor, ancak soruşturmaya başlarken dışarıda da bırakılamıyor.

Searle, dayanağı olan argümanlar sunmak yerine içgüdüsel tepkiler veriyor: Ne zaman benim tartıştığım bir görüşü reddetse, onu "saçma" olarak nitelendiriyor. (Benim tarafımdan kabul görmeyen) panpsişizm meselesi söz konusu olduğunda bu yargısına çoğu insan katılabilir. Diğer konularda ise, saçma kelimesinin değeri düşürülmektedir: Örneğin, "algılama" gibi zihinsel terimlerin bir işlem ile öznel bir deneyim arasında muğlak bir yerde kalması şaşırtıcı bile değildir. Etkileşim halindeki bir trilyon nöronun bilinci ortaya çıkardığı göz önüne alındığında, birbirleriyle etkileşen bir trilyon silikon çipin ya da insanın da aynı şeyi yapabileceği fikrinde özel bir saçmalık yoktur. Ben, bilincin yardımına başvurmayan ya da bilince işaret etmeyen beyin-temelli davranış açıklamalarının yapılabileceğini kabul ederek yaşanabilecek zorluklara göğüs geriyorum (yine de bu, bilincin nedensel olarak ilişkisiz olduğunu söylemek anlamına gelmez). Fakat eğer çıkarımda bulunabilseydi, Searle'ün kendi indirgenemezlik görüşü, kendisini de bu görüşü desteklemek zorunda bırakırdı.

Hatalarımızı, yanlış temsillerimizi ve içgüdülerimizi, kendilerini oluşturan unsurlara ayırdığımızda, elimizde Searle'ün çok-amaçlı eleştirisinden başka bir şey kalmıyor: "Beyin bilince neden olur." Her ne kadar (en az on defa tekrar edilmiş olan) bu mantra büyük bir bilgelik kaynağı olarak düşünülmüş olsa da, üzerinde konuşulan neredeyse hiçbir şeyle bağdaşmıyor. Bu yargı, görüşlerimin tümüyle de uyum içindedir: İhtiyacımız olan şey, nedenleri ve sonuçları birbirinden ayırmak ve bu yargının, *yalnızca* beyinlerin bilince neden oldukları anlamına gelmediğinin farkına varmaktır. Searle'ün iddiası, bir çözüm olmaktan daha çok sorunun basit bir şekilde ortaya konulmasıdır. Eğer birisi bunu kabullenirse, gerçek sorular şunlar olacaktır: Beyin niçin bilince neden olur? Bunu hangi nitelikleri sayesinde yapar? Uygun nedensel kanunlar nelerdir? Searle'ün bu sorular hakkında söyleyebileceği hiçbir şeyi yoktur. Gerçek bir cevap bir kuram gerektirir: Bu, yalnızca bir beyin kuramı değil, aynı zamanda beyin ile bilinç arasında köprü kuran kanunların da detaylı bir kuramı olmalıdır. Kitabımda başlangıcını yaptığım bu projeyi tamamlamadıkça bilinci anlayışımız daima ilkel bir düzeyde kalacaktır.

(Daha fazla yorumu ve Searle'e verilen bir başka yanıtı http://ling. ucsc.edu/~chalmers&nyrb/ adresinde bulabilirsiniz.)

John Searle: Kitabı hakkında yazdığım incelemeyi yanıtladığı için David Chalmers'a minnettarım ve değindiği her önemli noktayı cevaplandırmaya çalışacağım. İncelememde, nitelik ikiciliği ile işlevselciliği bir araya getirmiş olmasının, kendisini bazı "mantık dışı" sonuçlara ittiğine işaret etmiştim. Kendisinin düşündüğü gibi, nitelik ikiciliği ile işlevselciliği birleşik kabul etmesinin, mantıken bu sonuçları beraberinde getirdiğini iddia etmedim; daha ziyade konumunun ayrıntıları üzerine çalışırken bu görüşlerin zuhur ettiğini söyledim. Nitelik ikiciliği, dünyada zihinsel ve fiziksel olmak üzere iki farklı türde metafiziksel niteliğin bulunduğu görüşüdür. İşlevselciliğe göre ise insanın, makinenin ya da başka herhangi bir "sistem"in zihinsel durumları, o sistemin fiziksel işlevsel durumlarından oluşur ve işlevsel durumlar da nedensel ilişkilerine göre tanımlanır.

İşte kendisinin kabul edilemez bulduğum dört iddiası:

1. Chalmers, "ağrı" ve "inanç" gibi psikolojik terimlerin biri bilinçsiz işlevsel süreçlere, diğeri bilinçli durumlara işaret eden birbirinden tamamen bağımsız iki anlamının bulunduğunu düşünür.

2. Bilinç dünyada meydana gelen herhangi bir fiziksel şeyle açıklayıcılık bakımından ilişkisizdir. Bu cümleleri, okumayı bilinçli bir şekilde istediğiniz için okuduğunuzu düşünüyorsanız, Chalmers size yanıldığınızı söyleyecektir. Fiziksel olayların yalnızca fiziksel açıklamaları olur, dolayısıyla bilincin sizin davranışlarınızda ya da herhangi başka birinin davranışlarında hiçbir açıklayıcı rolü yoktur.

3. Kendi bilincinizle ilgili iddialarınız bile bilinçle açıklanamaz. Ağrılar içindeyken "Ağrılar içindeyim" derseniz, bunun sebebi sizin söylediğiniz gibi ağrılar içinde oluşunuz değildir.

4. Bilinç her yerdedir. Evrendeki her şey bilinçlidir.

Bu görüş "panpsişizm" olarak adlandırılır ve "saçma" olarak nitelendirdiğim görüş de budur.

Peki Chalmers verdiği yanıtta bu noktalarla ilgili ne söylemektedir? Bu görüşlere karşı çıkışımın bir argümana dayanmadığını, "içgüdüsel tepkiler" olduğunu dile getiriyor. Aslında argümanlarımı netleştirmeye çalışmıştım. Ayrıca, zaten bu denli mantık dışı olan görüşleri kanıtlama görevinin ona ait olduğuna inanıyorum. Fakat sadece bulunduğum konumu mümkün olduğunca netleştirmek için argümanlarımı tam olarak açıklamama izin verin:

1. Anadili İngilizce olan biriyim ve bu kelimelerin ne anlama geldiğini biliyorum. Örneğin söz konusu "ağrı" kelimesi ise, bunun, dünyadaki her bilinçli ağrıyla bağıntılı olan ve yine "ağrı" diye adlandırılan bir bilinçsiz işlevsel durum olduğuna dair bir anlamı yoktur. Sözlükteki klasik tanımıyla "ağrı" nahoş bir duyumsamadır ve bu tanım, hem benim hem de benim gibi İngilizce konuşan insanların bu kelimeyi kullanış biçimiyle uyumludur. Chalmers ise başka türlü düşünür. İddiasını kanıtlama görevi kesinlikle ona aittir.

2. Eğer insan psikolojisinin nasıl işlediğine dair bildiğimiz bir şeyler varsa, o da bilinçli arzuların, eğilimlerin, tercihlerin vs. insan davranışını etkilediğidir. Örneğin ben sık sık su içerim, çünkü susuyorum. Eğer Chalmers gibi gerçekle tutarlı olmayan bir felsefi sonuca ulaşıyorsanız, geriye dönmeli ve önermelerinizi gözden geçirmelisiniz. Elbette bilimin bir gün bu konuda hata yaptığımızı gösterme ihtimali düşünülebilir, ancak bu büyük bir bilimsel devrimi gerektirir ve böyle bir devrim, kendisinin yaptığı gibi, oturulan yerden üretilen kuramlarla gerçekleşemez.

3. Örnek verdiğim vakada, ağrılar içinde olduğumda, bazen "ağrılar içindeyim" diyorum, çünkü kesinlikle ağrılar içindeyimdir. Üç olayı birden deneyimlerim: ağrı, ağrıyı dile getirmem ve ağrıya sahip olduğum için ağrıyı dile getirmem. Bunlar tamamen kendi deneyimimle ilgili olgulardır. Bu noktada başka insanların deneyimlerinin benimkinden çok da farklı olmadığı varsayımında bulunuyorum. Bu yalın olgulara ek olarak kendisi ne tür argümanlar istiyor? Bir kez daha söylemek gerekirse, eğer bu gerçeği reddeden bir sonuca ulaşıyorsanız, geriye dönmeli ve önermelerinizi gözden geçirmelisiniz. Kendisinin ulaştığı sonuçların en iyi şekilde anlaşılmasını sağlayacak şey, onun düşündüğü şekilde harika buluşlar olarak ele alınması değil, aksine her bir sonucun kendi önermelerinin bir *saçmaya indirgeme*si olarak kabul edilmesidir.

4. Peki ya bilincin taşlarda, termostatlarda ve elektronlarda (onun verdiği örnekler), daha doğrusu her yerde olduğuna dair görüş, yani panpsişizm hakkında ne denilebilir? Kendisinin bu görüşün aleyhinde bir argüman olarak ne beklediğinden pek emin değilim. Sadece, bu görüşü bilimsel bir varsayım şeklinde ciddiyetle ele alabilmek için dünyanın nasıl işlediği konusunda çok fazla şey biliyor olduğumuzu söyleyebiliriz. Kendisine bildiğimizin ne olduğunu söylememi mi istiyor? Belki de istiyordur.

İnsanların ve bazı hayvanların beyinlerinin bilinçli olduğunu biliyoruz. Aslına bakarsanız dünya üzerinde yalnızca *belirli türlerde sinir sistemleri*ne sahip olan *canlı sistemler*in bilinçli olduklarını biliyoruz. Ayrıca bilincin bu sistemlerde oldukça özelleşmiş nörobiyolojik süreçler tarafından ortaya çıkarıldığını da biliyoruz. Beynin bunu nasıl gerçekleştirdiğine dair ayrıntıları bilmesek dahi bu süreçlere belirli yollarla —örneğin genel anesteziyle ya da kafaya bir darbeyle— müdahale edildiğinde hastanın bilincinin ortadan kalktığını ve bazı beyin süreçleri tekrar işler hale getirildiğinde hastanın bilincini geri kazandığını biliyoruz. Bunlar nedensel süreçlerdir ve bilince de neden olurlar. Dünyanın gerçekten nasıl işlediğiyle ciddiyetle ilgilenen biri için termostatlar, taşlar ve elektronlar uzaktan da olsa bu tür süreçlere benzeyen herhangi bir şeye ya da nörobiyolojinin belirli özellikleriyle eşit nedensel güçlere sahip olabilmek için aday dahi değildir. Elbette bir bilimkurgu fantazisi olarak bilinçli termostatlar hayal edebiliriz; fakat bilimkurgu ne bilimdir ne de felsefe.

Chalmers'ın mektubundaki en şaşırtıcı şey kendisinin panpsişizmi "kabul etmediği", bu konuda "bilinemezci" kaldığı iddiasıdır. İyi de, kitabında bu görüş lehinde geniş argümanlar sunuyor ve onu savunuyor. Gerçekte ne söylediğini görelim. İlk olarak, "bilinç işlevsel organizasyondan doğar" (s. 249) şeklinde bir ifade kullanır. Peki bu işi yapan işlevsel organizasyon ne hakkındadır? Bunun "bilgi" olduğunu söyler, burada kelimeyi kullandığı özel bağlama göre dünyadaki her şey, içerisinde bilgi barındırır. "Bunu (gerçek dünyadaki) bilginin fiziksel ve fenomenal olmak üzere iki yönü bulunduğu ilkesini temel alarak ifade edebiliriz" (s. 286). Bilinemezciliğe en çok yaklaştığı ifade ise şudur: "Bilginin fiziksel süreçler ile bilinçli deneyim arasındaki bağlantıyı kuracak anahtar olduğunu kanıtlama konusunda öldürücü darbeyi indirecek herhangi bir argümana sahip değilim," hemen ardından ekler, "ama bu fikri destekleyecek bazı dolaylı yollar mevcuttur." Bunun üzerine çift-yönlülük ilkesi için çok sayıda argüman sunar (s. 287). Panpsişizmi ispatlamasa da bu görüşün sağlam bir varsayım olduğunu düşünür. Ona göre bilgi her yerde olduğu için, bilinç de her yerdedir. Önermeleri birlikte ele alındığında panpsişizme işaret eder. Eğer işlevsel organizasyonun bilinci ortaya çıkardığını ve bunu bilgi sayesinde gerçekleştirdiğini, bilgi sahibi olan her şeyin bilinçli olacağını ve her şeyin de bilgi sahibi olduğunu ileri sürüyorsa, o zaman bildiğim mantık kurallarına göre her şeyin bilinçli olduğu görüşünü savunuyor demektir.

Eğer panpsişizmi desteklemiyorsa o zaman neden "Termostat olmak nasıl bir şeydir" bölümünün tamamında termostatların bilinçli hayatını betimlemiş ve bölümün tamamını bu konuya ayırmıştır?

Bölümün en azından bir kısmı tümüyle alıntılanmaya değer:

> Elbette bir termostat olmak çok da ilgi çekici değildir. Termostattaki bilgi işleme öylesine basittir ki ona eşlik eden fenomenal durumların da aynı düzeyde basit olmasını beklemeliyiz. Başka herhangi bir yapı olmadan üç farklı ilkel fenomenal durum bulunacaktır. Belki de bu durumların hepsini bizim siyah, beyaz ve gri deneyimlerimizle analoji kurarak ele alabiliriz: Bir termostat tamamen-siyah, tamamen-beyaz ya da tamamen-gri bir alana sahip olabilir. Fakat bu bile görsel alanının boyutluluğunu ve beyazın, siyahın ve grinin görece zengin doğalarını düşündüğümüzde, termostatın deneyimlerine oranla kendisine çok fazla yapı yüklemek olur. Bizim deneyimlerimizde herhangi bir analoğu bulunmayan gerçekten de çok daha basit bir şey beklemeliyiz. Muhtemelen bu deneyimleri kör bir insanın görmeyi ya da bir insanın yarasa olmayı hayal ettiği kadar anlayışlı bir şekilde hayal edemeyeceğiz; ama en azından düşünsel yolla bu deneyimlerin temel yapıları hakkında bir bilgi sahibi olabiliriz. (s. 293-294)

Devamında hayvanların bilincini anlamakta yaşadığımız zorlukla termostatları değerlendirme konusundaki yetersizliğimizi karşılaştırarak termostatların bilinçli hayatlarını bizler için daha mantıklı kılmaya çalışır. İki sayfa sonra ekler: "Fakat bu noktada termostatlar beyinlerden gerçekten de farklı değildir."

Hayvanların ve termostatların bilinci arasında kurduğu analojiden ne çıkarmamız gerekiyor? Böyle yavan sözler sarf eden birinin nörobiyolojinin sonuçları hakkında ciddi olabileceğine inanmıyorum. Ne olursa olsun, termostatların bilinci hakkında "bilinemezci" bir tutum sergilenmemektedir. Ona göre eğer termostatlar bilinçliyse her şey bilinçlidir.

Chalmers, gerçekten de bütün evrenin küçük bilinç parçalarından oluştuğu görüşü noktasında bilinemezciydi. Bunu ciddiye alınması gereken "garip bir biçimde güzel" bir olasılık şeklinde ileri sürdü. Şimdi ise bunun, "reddettiği" bir görüş olduğunu söylüyor. Oysa kitabında bu görüşü reddetmemişti.

Chalmers'ın kitabındaki genel strateji, çok sayıda temel önermesini, özellikle de nitelik ikiciliğini ve işlevselciliği öne sürmek ve ardından anlattığım sonuçlara ulaşmaktır. Böylesi saçma sonuçlar elde ettiğindeyse, önermeleri takip ettikleri için bu sonuçların doğru olması gerektiğini düşünür. Bence ulaştığı sonuçlar, her durumda yetersiz bir biçimde kurulmuş önermeleri hakkında da şüphe uyandırıyor. Öyleyse geriye dönelim ve mektubunda da bahsettiği iki en önemli önermesi olan "nitelik ikiciliği" ve "indirgemeci-olmayan işlevselcilik" ile ilgili argümanını inceleyelim.

Nitelik ikiciliğiyle ilgili argümanında –ki bence bu konuda haklı– bilinç olmadan da bizimkiyle tamamen aynı fiziksel özelliklere sahip bir dünya hayal edebileceğimizi söylüyor. Elbette; fakat böyle bir dünya hayal etmek için fiziğin ve biyolojinin bilince neden olup onu gerçekleştirmesini mümkün kılan doğa kanunlarında da bir değişimin hayalini kurmak gerekir. Buna karşılık ben de eğer doğa kanunlarında bir değişiklik yapma izniniz varsa aynı şeyi uçan domuzlar için de yapabileceğinizi öne sürdüm. Eğer doğa kanunlarında bir değişikliğe izin veriliyorsa, hayal ettiğim değişimle domuzları uçurabilirim. O yine doğru bir şekilde, domuzların havada yükselebilmesinin fiziksel niteliklerin dağılımında bir değişiklik gerektirdiğine dikkat çeker. Buna, öyle görünüyor ki açıkça ifade etmekte başarısız olduğum cevabım şudur: Eğer bilinç beyinlerin fiziksel bir özelliği ise, o zaman bilincin yokluğu *da* dünyanın fiziksel özelliklerinde yaşanan bir değişimdir. Öyle ki, onun argümanının nitelik ikiciliğini tesis edebilmesinin tek yolu, bilincin fiziksel bir özellik olmadığını varsaymasıdır; ne var ki ispat etmesi gereken şey tam da budur. Doğanın, kanunları da içeren olgularından hareketle mantıken beynin bilinçli olması gerektiği çıkarımında bulunabilirsiniz. Doğanın, kanunları da içeren olgularından hareketle domuzların uçamayacağı sonucuna ulaşabilirsiniz. Bu iki durum paraleldir. Gerçek farklılık ise bilincin indirgenemezliğidir. Fakat indirgenemezliğin kendisi nitelik ikiciliğinin bir kanıtı değildir.

Şimdi de onun "indirgemeci olmayan işlevselcilik" hakkındaki argümanına dönüyorum. Bu argümana göre, aynı bilinçsiz işlevsel organizasyona sahip sistemlerin aynı tür bilinçli deneyimlere sahip olması gerekir. Fakat kitabında öne sürdüğü ve yanıtında da tekrarladığı argümanda iddiasını ispatlanmış kabul eder. Kendisi konuyu şu şekilde özetler:

Eğer bilinçli deneyimler ile işlevsel organizasyon arasında mükemmel bir eşleşme bulunmasaydı, kişinin bilinçli deneyimlerinde büyük değişimler gerçekleşirdi ve kendisi bunu asla *fark etmez*di. Fakat bu son önermede "fark etmek" kelimesi bilinçli olarak "fark etmek" anlamında kullanılmamıştır. Söz konusu kelime, bilinçsiz bir işlevsel organizasyonun fark etme davranışını ifade eder. Chalmers için bütün kelimelerin ilki bilince, diğeri bilinçsiz işlevsel organizasyona işaret eden iki anlamı olduğunu hatırlayın. Öyleyse bu argüman bir kişinin bilincindeki, bilinçli fark etmeyi de kapsayan köklü değişikliklerin, fark etme davranışını üreten bilinçsiz işlevsel organizasyonla eşleştirilmiş olması gerektiğini varsayıyor ve cevap vermekten yine kaçınıyor. Fakat esas mesele tam da budur. İşe yarayan bir argümanın göstermesi gereken şey, failin içsel deneyimleriyle dışsal davranışlarının ve davranışın da bir parçasını oluşturduğu "işlevsel organizasyon"unun arasında mükemmel bir eşleşme olması gerektiğidir. Kendisi böyle bir argüman sunmamaktadır. Yaptığı tek şey, varsayılan iddiayı ispatlanmış kabul etmektir: Böyle bir eşleşme olmalıdır, aksi halde eşleşmenin dışsal fark etme kısmı ile içsel deneyimler arasında bir eşleşme olmayacaktır. Hatalı bir biçimde, bilinçli fakat yanlış işlevsel organizasyona sahip olan Guillain-Barre hastaları ile konu arasında bir ilişki bulunmadığını, çünkü onların "farklı işledikleri"ni söyler. Peki ama bu farklılığın kaynağı nedir? Bu hastalar, fiziksel davranışları göz önünde bulundurulduğunda, tamamen bilinçdışı insanlara benziyorlar ve bu nedenle, kusursuz bir biçimde bilinçli oldukları halde —ona göre— bilinçdışı insanlarla tamamen aynı "işlevsel organizasyon"a sahipler. Hatırlayın, Chalmers'a göre "işlevsel organizasyon" daima bilinçsizdir. Guillain-Barre hastaları aynı işlevsel organizasyona fakat farklı bilince sahiptir. Dolayısıyla işlevsel organizasyon ile bilinç arasında mükemmel bir eşleşme yoktur. Q.E.D.

Chalmers, kendisinin bir "mantra" olarak ifade ettiği, beyinlerin bilince neden olduğu yargısını ona sıklıkla hatırlatmaya çalıştığım için bana kızar. Fakat, bu yargıya gereken değeri verdiğini düşünmüyorum. Her şeyden önemlisi bilinç, sindirim ya da fotosentez gibi biyolojik bir fenomendir. Bu, herhangi bir felsefi açıklamanın saygı duyması gerektiği bir doğa olgusudur. Elbette ki biyolojik olmayan malzemelerden bilinçli bir makine üretmemiz prensipte mümkündür. Kan pompalayan yapay bir kalp yapabiliyorsak, neden bilince neden olan yapay bir beyin de yapamayalım? Fakat bilinci anlama ve onu yapay olarak üretme projesindeki en önemli adım, beynin bunu gerçek hayatta özel bir biyolojik süreç olarak nasıl gerçekleştirdiğini ayrıntılarıyla anlamak olacaktır. Başlangıçta bu cevap en azından "sinaps", "peptidler", "iyon kanalları", "40 hertz", "nöronal haritalar" vb. gibi terimlerle verilmek zorundadır; çünkü bunlar, üzerinde çalıştığımız gerçek mekanizmanın gerçek özellikleridir. İlerleyen zamanlarda biyolojiden soyutlanmamıza olanak verecek daha genel ilkeleri keşfetme imkanına sahip olabiliriz.

Chalmers'ın bilinci açıklamak için aday gösterdiği "işlevsel organizasyon" ve "bilgi" kavramları umutsuz girişimlerdir; çünkü bu kavramlar –kendisinin kullandığı şekliyle– nedensel ve açıklayıcı bir güce sahip değildir. İşlevi ve bilgiyi özelleştirdiğiniz düzeyde, bunlar yalnızca gözlemci ve yorumcuya bağlı olarak varlık gösterirler. Bir şey, birisi onu öyle yorumladığı ve o şekilde kullandığı takdirde o kişi için termostattır. Ağaç halkaları yalnızca onları yorumlama yetisine sahip biri için ağacın yaşı hakkında bir bilgi halini alır. Gözlemcileri ve yorumcuları devre dışı bıraktığınız takdirde kavramların içi boşalır, çünkü her şey bilgi taşır ve bir tür "işlevsel organizasyon"a sahiptir. Sorun yalnızca Chalmers'ın beynin bilince neden olmasını sağlayan özel mekanizmaların "işlevsel organizasyon" ve "bilgi"yle açıklanabileceğini varsaymak için bir neden göstermekte başarısız olması değil, daha çok bunu yapamamış olmasıdır. Kendisinin kullandığı şekliyle bunlar içi boş moda sözcüklerdir. Korkarım ki bu kitap, tüm yaratıcılığına rağmen, beynin bilinci nasıl ortaya çıkardığını anlama projesine gerçekte hiçbir katkıda bulunmuyor.

7.

Israel Rosenfield, Beden İmgesi ve Benlik

Buraya kadar çoğunlukla, bilincin oldukça genel kuramlarını tartıştım. Crick, Penrose ve Edelman'ın sorduğu soru, "Beyin bunu [bilinci] nasıl yapıyor?" idi. Dennett, duyarlık ve farkındalığın öznel durumları anlamındaki bilincin varlığını reddetmesine rağmen, beynin davranışı kontrol etme yeteneğine dair genel bir açıklama arar. Chalmers, bilinci beyinle özel bir bağlantısı olmayan "bilgi" kavramı üzerinden temellendirmeye çalışır. *The Strange, Familiar and Forgotten*'da[1] Israel Rosenfield diğerlerinden farklı ve dikkate şayan bir yaklaşım sergiler.

Görünüşte Rosenfield'ın kitabı insanların muzdarip oldukları çeşitli nöral hasar türlerini ve bunların, hastaların zihinsel yaşamlarına ve bilinçlerine etkilerini açıklayan bir dizi vaka hikayesinden oluşur. Klasik nöroloji literatürüne ve özellikle de sıklıkla atıfta bulunulan Oliver Sacks'ın çalışmalarına aşina olan biri, hastaların bir kısmını tanıyacaktır. Beyninin her iki tarafındaki hipokampüs çıkarıldığı için kısa-süreli belleğini koruma yeteneğini kaybeden ünlü HM vakası bunlardan biridir. Bayan W. ise geçirdiği felç nedeniyle sol elinin kendisine ait olduğunu fark edemeyen bir diğer vakadır. Belleği 1945 yılında sonlanan ve 1980'li yıllarda otuz yılı aşkın bir süre önceki genç adamın anılarını ve kişiliğini sürdüren Korsakoff sendromundan muzdarip bir hasta da bu vakalar arasındadır.

Bununla birlikte Rosenfield, kendi bilinç yaklaşımını da ortaya koymak istiyor. Edelman'ın eski iş ve çalışma arkadaşı olan Rosenfield da Edelman gibi bilinç ve bellek arasındaki bağlantıyı vurgular. Bilinç ol-

---

1 *The Strange, Familiar and Forgotten: An Anatomy of Consciousness* (Vintage, 1993).

maksızın belleğin var olması nasıl mümkün değilse, aynı şekilde bellek olmaksızın tam anlamıyla gelişmiş bir bilinç gibi herhangi bir şeye sahip olmak da mümkün değildir. Bilinç, "geçmişin, şimdinin ve beden imgesinin dinamik etkileşimleri"nden doğar (s. 84). Tepkilerinin arasındaki bağlantı kopmuş ya da tepkileri bozulmuş beyin-hasarlı hastalarda yaptığı incelemelerin üzerinden ilerleyerek şöyle söyler:

> Bilinç duyumu, açık bir biçimde, algıların *akış*ından, aralarındaki (hem uzaysal hem zamansal) ilişkilerden, bu akışla bilinçli yaşam boyunca sürdürülen bir tek özgün kişisel bakış açısı tarafından idare edilen dinamik ancak sürekli ilişkilikten kaynaklanır; bilincin bu *dinamik* yönü nörobilimcilerin analizlerinde gözden kaçırılmaktadır. (s. 6)

Ona göre bilince karşılık gelen şey, anların kendileri değil, algılama anlarının birbirleriyle ilişkilendirilmesi eylemidir. Bilincin sürekliliği, beynin uzay ve zamandaki olaylarla anbean sağladığı örtüşmeden kaynaklanır. Bilincin hayati öneme sahip bileşeni öz-farkındalıktır:

> Belleğim; bedenim (daha özel olarak herhangi bir andaki bedensel duyumsamalarım) ile bedenimin beynimdeki "imge"si (bedenin duyumsanmasında anbean gerçekleşen değişimleri birbiriyle ilişkilendirerek, sürekli değişen bir genel beden fikrini meydana getiren ve beyinde gerçekleşen bilinçdışı bir faaliyet) arasındaki ilişkiden beliriverir. Bu ilişki, benlik duyumunu da yaratır. (s. 8)

Peki, Rosenfield nereye varmaya çalışıyor? Bu argümanı en iyi şu şekilde yeniden inşa edebilirim: "Bilinç"ten bahsettiğinde, duyarlık olgusundan ziyade insan bilincinin normal, birleşik ve patolojik olmayan biçimlerini kastetmektedir. Böylece, yenidoğan bebekler için "muhtemelen bilinçli değil" ifadesini kullanırken (s. 60), sanırım bunu gerçek anlamıyla söylemiyor. Kastettiği şey, yenidoğanların bellek ve benlik duyumuyla birlikte seyreden tutarlı bilinç türlerinden yoksun olduklarıdır. Bu yüzden kitap, bir bilinç kuramı olmaktan çok, belirli bir yaşın üzerindeki sağlıklı normal bilinçli bireylerin kuramıdır ve büyük oranda patolojik vaka çalışmalarından türemiştir. Rosenfield'a göre bilincin kendi yapısının bir parçası olan "öz-gönderim" [*self-reference*] kritik bir bileşendir ve "beden imgesi" kavramına dayanır. Bu kavramların hiçbiri

Rosenfield tarafından çok iyi açıklanmamışsa da bana anlamlı geliyorlar; bu nedenle onları netleştirmeye çalışacağım.

Beyinle ilgili en dikkat çeken şeylerden biri, beynin, nörobiyologların "beden imgesi" olarak isimlendirdikleri şeyi oluşturma yeteneğidir. Bunu anlamak için sol kolunuzun ön kısmını çimdiklemenizi istediğim zamanı hatırlayın. Dediğimi yaptığınızda ağrı hissettiniz. Peki, ağrıyı hissetme olayı nerede gerçekleşti? Sağduyularımız ve yaşadığımız deneyimler, bize kolumuzun ön kısmında tam da cildimizi çimdiklediğimiz bölgede meydana geldiğini söyleyecektir. Ama aslında bu olayın gerçek mekanı orası değildir. Ağrının bilinçli bir duyumsamasına sahip olma olayı beyinde meydana gelir. Beyin tüm bedenimizin bir imgesini oluşturur ve bedenimizde ağrı ya da başka duyumsamalar hissettiğimizde bu deneyim aslında beynimizdeki beden imgesinde gerçekleşir.

Bedensel duyumsamaları beden imgesinde deneyimleyişimiz, hayalet uzuvlar vakasında en açık haliyle görülür. Böylesi vakalarda hasta, örneğin tüm bacağı kesildikten sonra dahi ayak başparmağını hissetmeye devam edebilir. Hayalet organ ağrıları çok özgün bir tuhaflık gibi görünebilir, ancak pek çoğumuz siyatik ağrılar biçiminde bir tür hayalet organa sahip oluyoruz. Siyatik söz konusu olduğu vakit hasta, bacağında bir ağrı hisseder. Peki ağrısına karşılık bacağında ne olur? Kesinlikle hiçbir şey. Aslında meydana gelen, omurgadaki siyatik sinirin uyarılması ve bacakta ağrıya neden olacak hiçbir şey bulunmamasına rağmen kişiye bacağındaki ağrı deneyimini hissettirecek nöron ateşlenmesinin tetiklenmesidir. Beden imgesinin keşfi nörobilim için yeni bir şey değildir, ama alanın tarihindeki en heyecan verici keşiflerden biridir. Bir bakıma tüm bedensel duyumsamalarımız hayalet beden deneyimleridir, çünkü duyumsamanın gerçekleşiyormuş gibi göründüğü yer ile gerçek fiziksel beden arasındaki eşleşme tümüyle beyinde yaratılır.

Rosenfield'ın, beden imgesini kullanarak savunmak istediği tez şudur: Benlik duyumumuz, açık bir şekilde, beden imgesini etkileyen deneyimlerin bir duyumudur ve bütün deneyimler bu benlik duyumunu içerir, dolayısıyla beden imgesini de. Bunu, tüm bilincin "öz-gönderim"i olarak adlandırır. Beden imgesinin deneyimi olan benliğin deneyimiyle ilgili olmaları açısından, bütün bilinçli deneyimlerimiz "öz-gönderimsel"dir. Bilincin zaman ve uzaydaki tutarlılığı da yine beden imgesi üzerinden bedenin deneyimlenmesiyle alakalıdır ve bellek olmaksızın, tutarlı bir bilinç de mümkün değildir.

Rosenfield, normal bilincin nasıl işlediğini göstermek için, anormal vakalarla kıyaslamak suretiyle klinik kanıtlardan zekice yararlanır. Örneğin, Bayan I (s. 41-45) normal beden imgesini kaybetmiştir. Bacaklarını ve kollarını konumlandıramaz; ağrıya karşı duyarsızdır ve hâlâ var olduğuna dair endişelerini gidermek için sürekli kendisine dokunur. Dahası, deneyimlerini normal bir şekilde geri çağırma kabiliyeti de yoktur ve Rosenfield bu durumu, benlik duyumunun eşlik etmediği bir belleğin mümkün olmayacağı iddiasına dayanak olarak kullanır (s. 41). Diğer bir örnek ise, henüz birkaç dakika önce gerçekleşmiş olayları bile hatırlayamayan Korsakoff sendromlu hastalardır. Onlar zamanın tüm anlamını ve benlik duyumunun tutarlılığını kaybederler. Rosenfield'a göre onlar, biz geri kalanların sahip olduğu, kelimelerin sıradan anlamlarını kavrama yeteneğini de yitirmişlerdir. Onların "çay bardağı" ya da "saat" gibi günlük kelimeleri kullanırken kastettikleri dahi bizimkiyle aynı değildir (s. 71).

Benzer şekilde, kolu felçli bir hasta bu uzvun kendisine ait olduğunu kesinlikle kabul etmez: "Ona sol kolu gösterildiğinde, 'Bu benim değil, senin' der. Muayene eden doktor, 'Öyleyse benim üç elim var' der ve Bayan W 'Belki de' diye yanıtlar" (s. 57). Felcin fiziksel travmasının yarattığı yabancı uzuv fenomenine benzer şekilde, çok büyük psikolojik travmalar da çoklu kişilikler yaratır. Böyle vakalarda büyük psikolojik acılar benliği böler, böylece benlik öz-gönderiminin bir yönünü kaybeder. Rosenfield bunları "engelleme" ve "bastırma" vakaları olarak düşünmekten ziyade, beynin uyarana yanıt verme biçimlerinin yeniden düzenlenmesi şeklinde ele almamız gerektiğini ileri sürer.

Öyleyse Rosenfield'a göre bellek, bir bilgi deposu olarak değil beynin sürekli bir faaliyeti olarak anlaşılmalıdır. Bunu en açık haliyle imgeler konusunda görüyoruz. Örneğin, çocukluğumdaki bir olayın imgesini oluştururken arşive gidip önceden var olan bir imgeyi bulmuyorum; onun yerine, bilinçli bir biçimde bir imge oluşturmak zorunda kalıyorum. Benlik duyumu bellek için vazgeçilmezdir, çünkü anılarımın tamamı eksiksiz bir biçimde *benim*dir. Onları anı yapan şey, benim benlik duyumumun bir parçası olan yapının bir parçası olmalarıdır. Bellek ile benlik, birbirine ve özellikle de beden imgesine sımsıkı bağlıdır.

Rosenfield'ın kitabı, üzerinde iyi çalışılmış bir bilinç kuramı sunma girişimi değildir. Onun amacı, daha çok belli patolojiler üzerinden bilinçte yaşanan "eksiklikler" ya da bozukluklar hakkında çalışarak bilincin genel doğasıyla ilgili bazı fikirler öne sürmektir. Bence kitabında daha ileri araştırmalar için yaptığı en önemli çıkarım, kendi beden deneyimimizi bilincin tüm biçimlerinde merkezi referans noktası olarak düşünmemiz gerektiğidir. Bu iddiaya göre herhangi bir bilinç kuramı, tüm bilincin beden bilinciyle başlamasına bir açıklama getirmek zorundadır ki iddianın kuramsal öneminin altında da bu gerçeklik yatar. Bilinçli algısal deneyimlerimiz tamamıyla dünyanın bedenimiz üzerinde oluşturduğu etkinin deneyimleridir ve bizim bilinçli, yönelimsel eylemlerimiz, beden hareketlerimizin ve bedenimizin dünya üzerindeki etkisinin tipik örnekleridir. Daha en baştan, en erken algılama ve eyleme deneyimlerimizden itibaren, beden bilincin merkezindedir. Bedenimi uzayda ve zamanda bir nesne olarak bilinçli bir biçimde deneyimleyişim, aslında beynimde inşa edilen bu deneyim, bütün bilinçli deneyimlerimizin içinden geçen temel bileşendir. Hatta bir matematik sorunu üzerine düşünmek kadar soyut bir işi gerçekleştirirken bile, düşünme işini yapan hâlâ *benim*dir, yani uzay ve zamandaki nesne olarak bedenim bu sorun üzerine düşünmektedir. Bedene dair bilinç bilincin tamamı değildir. Ama bilincin tamamı beden imgesi yoluyla gerçekleşen beden deneyimiyle başlar.

Sonuç: Bilincin Gizemi Bilinç Sorununa Nasıl Dönüştürülür?

1

Makalelerimin orijinal hali *The New York Review of Books*'ta yayınlandıktan sonra yağmur gibi yağan mektuplar, diğer bilimsel ve felsefi konulardan farklı olarak zihin ve bilinç sorunlarının tutkuyla ele alındığını göstermiştir. Bu hissin yoğunluğunun, dini ve politik meselelere erişmesine ramak kalmıştır. Bu kitapta tartıştığım sorunlara getirdiğimiz çözümler, insanlar için hayati bir öneme sahiptir. Tuhaf bir biçimde, zihnin hesaplamalı kuramını destekleyenlerin, geleneksel dini ruh doktrini taraftarlarından daha tutkulu olduklarını gördüm. Bazı hesaplamacıların, zihinle ilgili en derin sorunlarımızın hesaplamaya dayalı bir çözüme ulaşacağına dair inançları neredeyse dini bir yoğunluktadır. Görünüşe göre öyle ya da böyle çoğu insan, bizlerin bilgisayar olduğu kanıtlanmazsa, bunun çok önemli bir kayıp olacağına inanıyor.

Bu hislerdeki yoğunluğun kaynağını anladığımdan emin değilim. Roger Penrose da zihnin hesaplamalı bakış açısını çürütme girişiminde bulunduğu vakit, argümanlarının öfkeli yuhalamalarla karşılandığına dikkat çekmişti. Tahminimce bu güçlü hissin kaynağı, çok sayıda insanın bilgisayarların yeni bir tür medeniyete –hayatlarımızı anlamlandırmanın, kendimizi anlamanın yeni bir yoluna– zemin hazırladığına dair inancıdır. Görünüşe göre bilgisayarlar, sonunda kendimizi bilimsel bakış açısına uygun olarak açıklamamamızı sağlamakta ve belki de en önemlisi, hesaplamalı zihin kuramı, belirli bir teknolojik güç isteğini dışa vurmaktadır. Sadece bir bilgisayar programı tasarlayarak zihinler yaratabilirsek, insanın doğa üzerindeki teknolojik hakimiyetini de sağlamış olacağız.

Her yeni teknolojide olduğu gibi, bilgisayarların da felsefi öneminin fazlasıyla abartıldığına inanıyorum. Bilgisayar kullanışlı bir alettir, bundan ne daha azı ne de daha fazlasıdır. Kendi hayatımda bilgisayarlar son derece önemli bir yere sahip, belki de bir telefondan daha çok ancak bir arabadan daha azdır önemi. Fakat bilgisayarların bilinç, zihin ve benlik hakkındaki en derin bilimsel meraklarımızı giderecek bir model oluşturacağı fikri –kitapta yeterince açık bir biçimde ifade ettiğimi umduğum nedenlerden dolayı– bana olanaksız görünmektedir.

Hesaplamalı zihin modelinin yeteri kadar vurgulamadığım kısıtlılıklarından biri de, son derece *biyoloji karşıtı* oluşudur. Bu durum, aynı bilgisayar programının sonsuz çeşitlilikte donanıma uygulanabileceği ve aynı donanımın sonsuz çeşitlilikte programı yürütebileceği şeklindeki hesaplama tanımının doğrudan bir sonucudur. Bu durum, hesaplamanın biçimsel (soyut, sentaktik) karakterinden kaynaklanır. Zihnin bir bilgisayar programından ibaret olduğunu ortaya koyan hesaplamalı zihin kuramının hem von Neumann hem de bağlantıcı sürümlerinde[1] *beynin bir önemi yoktur* sonucuna ulaşılmaktadır. Beyinler programlarımızın yürütüldüğü donanım (ya da biyodonanım [*wetware*]) ortamıdır, fakat sonsuz çeşitliliğe sahip başka türlü donanımlar da aynı işi yapabilir.

Öte yandan ben, söz konusu bilinç olduğu vakit, *beynin hayati bir öneme sahip olduğu* konusunda ısrarcıyım. Beynin bilince *neden olduğu*nu biliyoruz. Buradan hareketle, bilince neden olabilme yeterliliği taşıyan bir sistemin, en azından, beyinlerin bu işi başarmasını sağlayan nedensel güçlerin eşik değerine sahip olması gerektiği sonucuna varırız. Bir "yapay beyin", nöronlardan tamamen farklı malzemelerden yapılmış olsa dahi bilinci meydana getirebilir. Fakat bir yapay beyni inşa etmek

---

1 von Neumann ve bağlantıcı makineler ile bu ikisi arasındaki farklar 5. Bölüm'de izah edilmişti.

için kullandığımız malzeme ne olursa olsun, ortaya çıkacak olan yapı bizi bilinç eşiğinin üzerine çıkarabilecek nedensel güçler bakımından beyinle eş olmalıdır. Yani, beynin neden olduğu şeye neden olabilmelidir. (Karşılaştıralım: Yapay kalpler kas dokusundan üretilmez, fakat yapıldıkları fiziksel madde her ne olursa olsun, meydana gelen yapılar gerçek kalbin kan pompalamak için sahip olduğu nedensel güçlerin en azından eşik değerinde nedensel güçlere sahip olmalıdır.)

Hesaplamalı zihin kuramı bunların hepsini reddeder. Bu kuram beynin bilinçle nedensel bir ilişkisinin olmadığını, bilincin yalnızca beyindeki programlardan oluştuğunu savunur ve beynin kendine özgü nörobiyolojisinin özelde bilinç için ya da genel anlamıyla zihin için önemli olduğu görüşünü reddeder. Güçlü YZ'yi, tüm bilimsel gösterişine rağmen, ikiciliğin son nefesi olarak görmek yapılabilecek en iyi şeydir. Güçlü YZ'ye göre zihin ve bilinç; büyüme, yaşama ya da sindirim gibi somut, fiziksel ve biyolojik bir süreç olmaktan ziyade biçimsel ve soyut bir şeydir. Daniel Dennett ve ortak yazarı Douglas Hofstadter, erken dönem çalışmalarının birinde zihni gerçekten de tam olarak böyle betimlemiştir. Onların deyişiyle bilinç, "kimliği herhangi bir özel fiziksel bedenlenmeden bağımsız olan soyut bir şey"dir.[2] Bu görüş hesaplamacı zihin kuramının tipik bir özelliği olan ikicilik kalıntısını dışa vurmaktadır. Hiç kimsenin sindirim, fotosentez ya da diğer tipik biyolojik süreçlerle ilgili benzer bir iddiada bulunmayı aklından geçirmediğine dikkat çekmek gerekir. Hiç kimse bu süreçlerin "kimliği herhangi bir özel fiziksel bedenlenmeden bağımsız olan soyut bir şey" olduğunu söylemezdi.

"Bilinç sorunu", beyindeki nörobiyolojik süreçlerin öznel farkındalık ve duyarlık durumlarımıza nasıl *neden olduğu*nu, bu durumların beyin yapılarında nasıl *gerçekleştiği*ni, bilincin beynin tüm idaresinde nasıl *işlediği*ni ve dolayısıyla genel anlamda hayatlarımızda da nasıl işlediğini tam olarak açıklamakla ilgili bir sorundur. Eğer nedensel soruları —bilince neden olan şey nedir ve bu şey neye sebep olur?– cevaplandırabilirsek, diğer soruların cevabı bunlara kıyasla oldukça kolay bulunacaktır. Yani, tüm nedensel hikayeyi bildiğimiz takdirde, "Şu ve şu bilinçli süreçler beyinde tam olarak nerede konumlanmıştır ve neden bu süreçlere ihtiyaç vardır?" şeklindeki sorular anlam kazanacaktır. Ortaya koyuldu-

---

2 *The Mind's I: Fantasies and Reflections on Self and Soul* (Basic Books, 1981), s. 15.

ğu şekliyle bilinç sorunu da, tıpkı diğerleri gibi, bir bilimsel araştırma projesidir. Fakat bilincin "gizem" olarak görülmesinin nedeni, beyinde herhangi bir şeyin nasıl bilinçli durumlara neden *olabildiği* hakkında net bir fikrimizin olmamasıdır. Nedensel sorular için bir cevabımız olduğu takdirde, gizem hissinin de ortadan kalkacağına inanıyorum. Fakat bu gizem hissi, nedensel sorulara bir cevap vermemizin önünde gerçek bir engeldir. Ben de şu ana kadar ele aldığım altı kitapta ortaya konulan meselelerle ilgili tartışmayı, nasıl ilerleme kaydedebileceğimizi irdeleyerek sonuçlandırmak istiyorum. Gelin tarihsel süreci gözden geçirerek başlayalım.

Bu konularla yirmi yıl kadar önce ilk kez ciddi biçimde ilgilenmeye başladığımda nörobilim alanındaki insanların çoğu, bilinci gerçek bir bilimsel mesele olarak görmüyordu. Çoğu insan onu sadece yok sayıp geçiyordu. Eminim ki cevap vermek zorunda kalsalardı bile, bilimin nesnel olduğunu ve böyle öznel durumlarla ilgilenmeyeceğini söylerlerdi. San Francisco'daki Kaliforniya Üniversitesi'nde nörobilimci olan Benjamin Libet de –ne gariptir ki– bu konuda oldukça alışagelen bir tutum sergilemişti: "Bilinç meselesine ilgi duymanda bir sorun yok, fakat önce bir yerde kadro bul." Elbette bütün nörobilimciler bu sorunla uğraşma konusunda isteksiz değildi. En azından büyük İngiliz fizyolog Charles Sherington'ın, yanılmıyorsam yüzyılın ilk yarısında, bilince nörobiyolojik bir açıklama getirmeyi amaçlayan çalışmasına kadar uzanan ve son zamanların önemli bilimcileri Sör John Eccles ile Roger Sperry tarafından da devam ettirilen bir gelenek söz konusudur. Ancak bu kişiler, alanın günah keçileri ilan edilmişlerdir. O günlerde beyin bilimi hakkında yazılan hiçbir klasik ders kitabında bilinçle ilgili bir bölüm yer almıyordu ve bilinci önemli bir bilimsel sorun olarak ortaya atan çok az şey dile getirilmişti.

Farkındalığın ve duyarlığın içsel ve niteliksel öznel durumları olarak bilincin varlığını *reddetme* girişimleri çok yaygın olduğu ve hâlâ olmaya devam ettiği için felsefenin durumunu daha da kötü görüyorum. Bu girişimler nadiren açıkça ortaya konulmaktadır. Herhangi bir çağda, çok az sayıda insan ortaya çıkıp, "Dünya tarihinde hiçbir insan bilinçli olmamıştır" demeye istekli olmuştur. Bunun yerine, bilincin davranış eğilimlerinden (davranışçılık), nedensel ilişkilerin çeşitli türlerinden (işlevselcilik) ya da bir bilgisayar sisteminin program durumlarından

(Güçlü YZ) başka bir şey olmadığını göstermeye çalışan bilinç analizlerini önermişlerdir. Genel eğilim ise, "maddeciliğin" farklı sürümlerine uygun düşecek şekilde, bilincin başka bir şeye indirgenebileceğini ya da başka bir yolla tamamen saf dışı bırakılabileceğini varsaymak olmuştur.

Bilincin varlığını reddetmek için karmaşık tarihsel nedenler mevcuttur ve ben de, *The Rediscovery of the Mind*[3] adlı kitabımda bunlardan bazılarını inceledim. En basit açıklama ise şu şekildedir: Felsefe başta olmak üzere, birtakım disiplinlere sinmiş olan bir ikicilik korkusundan muzdaribiz. Hâlâ ana akım filozoflardan birçoğu, bilincin varlığını ve indirgenemezliğini kabul eden birinin, bir tür ikici ontolojiye razı olmak zorunda kalacağına inanır. Seçimin, bilinçli durumların gerçek varlığını reddeden maddeciliğin bir sürümü ile bilinçli durumların varlığını örtük olarak kabul eden ikiciliğin bir sürümü arasında yapıldığını düşünürler. Oysa ikicilik konunun dışında gibi görünmektedir. İkiciliği kabul etmek, geçmiş yüzyıllar boyunca güçlükle ulaştığımız bilimsel dünya görüşünü reddetmektir. İkiciliği kabul etmek, biri zihinsel diğeri fiziksel olmak üzere birbirinden tamamen farklı iki dünyada yaşadığımız ya da en azından zihinsel ve fiziksel olmak üzere iki farklı türden niteliğe sahip olduğumuz sonucuna varmak demektir. Umarım kitabın akışı boyunca, içinde yaşadığımız metafiziksel ya da ontolojik olarak farklı iki dünyanın varlığını ya da dünyada iki farklı tür niteliğin bulunduğunu ifade eden geleneksel ikici ontolojiyi benimsemeden, biyolojik bir fenomen olarak bilincin varlığını ve indirgenemezliğini kabul etmenin mümkün olduğuna dair görüşümü açıkça ifade edebilmişimdir.

Yapmaya çalıştığım şey, kavramsal haritayı yeniden çizmek: Eğer sadece birbirini karşılıklı dışlayan iki alana –"zihinsel" ve "fiziksel"– sahip bir haritanız varsa, ümitsiz bir haritanız var demektir ve onunla yolunuzu asla bulamazsınız. Gerçek dünyada ekonomik, politik, meteorolojik, atletik, sosyal, matematiksel, kimyasal, fiziksel, edebi, sanatsal vs. gibi çok sayıda alan bulunur. Bunların hepsi birleşik bir dünyanın parçalarıdır. Bu husus çok açıktır, fakat kavranması çok zor olan Kartezyen mirasımızın gücü de bir o kadar açıktır. Deneyimlerime dayanarak diyebilirim ki, bu hususu lisans öğrencileri kolayca ve lisansüstü öğrenciler de az çok kavrayabildikleri halde, profesyonel filozofların çoğu

---

3 MIT Press, 1992.

için bunu kavramak oldukça zordur. Onlara göre, benim tutumum ya "maddecilik" ya da "nitelik ikiciliği" olmalı. Bir insanın nasıl olur da ne maddeci ne de ikici olabilir? – Bu en az ne Cumhuriyetçi ne de Demokrat olmak kadar saçma bir fikir!

Peki, ikiciliği maddecilikle birlikte reddettikten sonra, biyolojik bir bilinç açıklaması yapmaya nasıl devam etmeliyiz? Diyelim ki zemini Güçlü YZ ve indirgemecilik gibi hatalardan temizledik, ya sonra? Burada tartıştığımız Israel Rosenfield'ın kitabı bu konuya hiç değinmiyor, Dennett'ınki de aslında bilincin öznel durumlarının varlığını reddetmek suretiyle sorunun varlığını reddediyor. David Chalmers ise, beynin özel hiçbir rolünün bulunmadığını, bilinci destekleme yeteneğine sahip birçok bilgi sisteminden yalnızca bir tanesi olduğunu söyleyerek konunun tartışılmasını daha da zorlaştırmıştır. Birbirinden oldukça farklı yollar benimsemelerine rağmen Francis Crick, Gerald Edelman ve Penrose bana doğru istikamet üzerindeler gibi görünüyor. Crick, ilk adımın bilincin nöral bağıntılarını bulmaya çalışmak olduğu noktasında kesinlikle haklıdır. Fakat daha önce de belirttiğim gibi, nöral bağıntılar yeterli değildir. İki şeyin bağıntılı olduğunu öğrensek de, bağıntının bizzat kendisini hâlâ açıklamış değiliz. Örneğin, yıldırım ile gök gürültüsünü düşünün –aralarında mükemmel bir bağıntı vardır, fakat bir kuramımız olana kadar bu bir açıklama sayılmaz. Peki, bir bağıntıyı bulduktan sonra, onun dışında başka neye ihtiyaç duyarız? Bilimlerin genellikle attığı bir sonraki adım, bu bağıntının nedensel bir ilişki olup olmadığını keşfetmektir. Bazen iki fenomen arasında, aynı nedene sahip olmalarından ötürü bir bağıntı bulunur. Kızamık döküntüleri ve yüksek ateş arasında bir bağıntı vardır, çünkü ikisine de aynı virüs neden olur.

Bağıntılı olan şeylerin birbiriyle nedensel açıdan ilişkili olup olmadığını anlamaya çalışmanın bir yolu, değişkenlerden birinde bir değişime yol açmak suretiyle diğer değişkende ne meydana geldiğini bakmaktır. Örneğin, bilinçli olmak ile belirli bir nörobiyolojik durumda bulunmak arasında gözlemleyebildiğimiz mükemmel bir bağıntının bulunduğunu farz edelim. Crick'in aksine, bu bağıntının 40 hertzlik nöron ateşlemeleri olduğunu düşünmüyorum, ama büyük ihtimalle o bilinçle bağıntılı bir şey olacaktır. "N" adını verdiğimiz ve bilinçli olmayla değişmez bir biçimde bağıntılıymış gibi görünen bazı ya da bir dizi özel nörobiyolojik durumun var olduğunu düşünelim. İkinci adım N durumunun tetiklenmesiyle bilinç durumlarının tetiklenip tetiklenmeyeceğini ya da N durumunun sonlandırılmasıyla bilinç durumlarının sonlandırılıp sonlandırılamayacağını ortaya çıkarmak olacaktır. Bu noktaya ulaştığınızda bulduğunuz şey, bence bir bağlantıdan daha fazlasıdır ve nedensel ilişki için de iyi bir kanıttır. Eğer diğer şeyler aynı kalmak şartıyla bir koşulda değişiklikler yaparak bir diğerinde de değişime yol açabiliyorsanız, değiştirdiğiniz koşulun etkilenen koşulun nedeni olduğuna dair çok iyi bir kanıta sahipsiniz demektir. Bu, kuramsal bir açıklama elde etmeye yönelik ilk adım olacaktır. Fakat ne tür bir kuram bu ilişkinin nasıl işlediğini açıklayabilir? Gerekli olduğu düşünülen mekanizmalar nelerdir?

Bu noktada cehaletimizi açık yüreklilikle itiraf etmeliyiz. Şu anda ne ben ne de başkası böyle bir kuramın nasıl görünebileceğinin bilgisine sahiptir ve bana kalırsa böyle bir kuramın kurulması işi, bir sonraki neslin nörobiyologlarına kalacaktır. Yine de açık ve inanıyorum ki kesin olan şu düşünce beni iyimser kılıyor: Dünya hakkında bildiğimiz bir şey varsa, o da beyin süreçlerinin bilinçli durumlarımızı meydana getirdiği olgusudur. Şimdi elimizdeki bu bilgi, en azından prensipte bunun *nasıl* gerçekleştiğinin keşfedilebilir olduğunu varsaymamızı gerektirir. Hatta uzun vadede bilince dair nedensel bir açıklama elde edemediğimiz ve edemeyeceğimiz ortaya çıksa dahi, projemize bu imkansızlığın ön kabulüyle başlayamayız. Başlangıçta, bu bağıntıların bizim tarafımızdan keşfedilebilecek nedensel ilişkinin kanıtı olduğunu varsaymamız gerekir. Ancak keşfedilebilir bir nedensel ilişkinin varlığıyla birlikte, bu ilişkinin kuramsal anlamda açıklanabilir olduğunu da varsaymak zorundayız. Sonunda bunu açıklayamayacağımız, beyin ile bilinç arasındaki nedensel ilişkinin kuramsal açıklamaya direndiği,[4] bilincin beyinle olan ilişkisini açıklama sorununun bizim bu türden meseleler için değil de avcı-toplayıcı ortam için gelişmiş biyolojik açıdan kısıtlı bilişsel yeteneklerimizin ötesinde olduğu ortaya çıkabilir. Yine de ne olursa olsun biz bu ilişkinin yalnızca keşfedilebilir değil aynı zamanda kuramsal olarak da anlaşılabilir olduğunu farz etmeliyiz.

Çağdaş nörobilimin kirli sırrından ne bu kitaplarda bahsedilir ne de ben böyle bir tartışma yürüttüm. Şimdiye kadar nörobilimin birleştirici

---

4 Bu, Colin McGinn'in duruşudur; *The Problem of Consciousness: Essays Toward a Resolution* (Blackwell, 1991).

kuramsal bir ilkesine sahip olamadık. Maddenin bir atom kuramı, hastalıkların bir mikrop kuramı, kalıtımın bir genetik kuramı, jeolojinin bir tektonik plaka kuramı, evrimin bir doğal seçilim kuramı, kalbin bir kan-pompalama kuramı ve hatta kasların bir kasılma kuramına sahip olduğumuz şekliyle, beynin nasıl işlediğine dair bir kuramımız yok. Aslında beyinde nelerin meydana geldiği hakkında çok sayıda olgudan haberdarız; ancak beynin zihinsel hayatımızı meydana getirmesini, yapılandırmasını ve düzenlemesini mümkün kılan şeyin ne olduğuna dair nörobiyoloji düzeyinde birleştirici bir kuramsal açıklamaya sahip değiliz. Klasik ders kitaplarının yazarları gibi ben de sanki temel işlevsel birim nöronmuş gibi konuştum ve belki de bu doğru. Fakat şu anda bunun doğru olup olmadığını bilmiyoruz. Belki de bir gün beyni nöron düzeyinde anlamaya çalışmanın bir araba motorunu silindir bloğun içindeki metal moleküller düzeyinde anlamaya çalışmak kadar ümitsiz olduğu ortaya çıkacak. İşlevsel nedensel mekanizmaların Edelman'ın açıklamalarında öne sürdüğü gibi nöronal haritalar düzeyinde çok sayıda nöron gerektirdiği ya da açıklayıcı birimlerin Penrose'un mikrotübül tartışmasında öne sürdüğü gibi nöronlardan çok daha küçük oldukları ortaya çıkabilir. Bu daha ileri araştırmalarla yerine oturtulacak olgusal bir sorundur.

Peki, bu araştırmayı nasıl sürdürmemiz bekleniyor bizden? Ümit vaat eden bir girişim hattı, bilince bilinçdışı üzerinden yaklaşmaktır. Beyindeki süreçlere dair, psikolojik açıdan gerçek olup hiçbir bilinçli tezahürü olmayan çok sayıda klinik vaka mevcuttur. Bunların en meşhuru belki de "körgörü"dür.[5] Bu vakalarda, beyninde hasar olan hasta görme alanında meydana gelen olayları ifade edebilirken, olayların bilinçli farkındalığına sahip değildir. Hastanın her iki gözü de sağlam olmasına karşın, beynin gerisinde bulunan görme korteksinde, hastayı görme alanının bir kısmında kör kılacak şekilde bir hasar meydana gelmiştir. Klasik bir çalışmada DB adlı hasta, sol alt kadranda kördür. Görme alanını kabaca gözlerimizin önündeki bir çember gibi düşünürsek, DB çemberin sağ yarısını ve sol yarının üst kısmını görebiliyor fakat sol yarının alt kısmındaki hiçbir şeyi görmüyor. Bir deneyde, DB'nin gözleri

---

5 Bkz. Lawrence Weiskrantz, *Blindsight: A Case Study and Implications* (Oxford University Press, 1986).

bir ekranın ortasına odaklanmıştı ve X'ler ile O'lar ekranda kör kısma denk gelecek şekilde, gözlerini hareket ettirmesinin mümkün olmayacağı bir hızda görünüp kaybolmaktaydı. Kendisinden, ekranda görünüp kaybolan şeyin ne olduğunu "tahmin etme"si istendiğinde hasta ısrarla hiçbir şey görmediğini ifade etmiş, fakat neredeyse her seferinde sorulan şeyle ilgili doğru tahminde bulunmuştu. Bu tür hastalar, genellikle başarılı bir şekilde cevap vermelerini şaşkınlıkla karşılarlar. Deneylerden birinin akabinde yapılan bir görüşmede deneyi gerçekleştiren kişi, "Ne kadar iyi yapmış olduğunu biliyor musun?" diye sorar. DB "Hayır, çünkü hiçbir şey göremedim. Lanet olası tek bir şey dahi göremedim" şeklinde bir cevap verir (s. 24).

Birkaç bakış açısından ilginç olmakla birlikte, bilinç meselesine yönelik bir yaklaşım olmaları açısından, bu deneyler sorunu ortaya koymanın başka bir yolunu sunar: Hasta bilinçli görüş ve körgörü durumlarının her ikisinde de [çevreden] neredeyse aynı bilgiyi aldığına göre, nörolojik açıdan konuşursak, körgörü ve bilinçli görüş arasındaki fark tam olarak nedir? Aynı bilgi bilinçli biçimde kavrandığında sistem tarafından ona eklenen başka bir şey var mıdır? Bilinç görmeye nasıl dahil olur?

Bu süregelen bir araştırma hattıdır[6] ve bildiğim kadarıyla bilinç meselesini çözme konusunda ümit vaat ediyor. Bilincin görmeye nasıl dahil olduğunu bilseydik, hem görme hem de diğer bilinç biçimleri [bağlamında], beynin bilince neden olmasını sağlayan belirli mekanizmaları tespit edebilirdik. Kaçınılması gereken hatalar, tekrar tekrar yapılan her zamanki hatalardır. Çalışma nesnemizin, hastanın ayırt etme gücü gibisinden nesnel bir üçüncü-şahıs fenomeni olduğu düşüncesine kapılmamalıyız. "Nitelceler" sorununu görmezden gelip yalnızca davranışı çalışabileceğimiz düşüncesine kapılmamalıyız. Ayrıca, bilimsel araştırmaya uygun olan bir bilgi-işleme bilinci ile sonsuza kadar gizemini koruyacak olan öznel-açıdan-gibi-hissetme [*what-it-subjectively-feels-like*] biçimine sahip bir fenomenal bilinç şeklinde iki tür bilinç bulunduğu düşüncesine de meyletmememiz gerekir. Hayır, bilincin birliği, her birimizin bilinçli hayat biçimlerindeki tüm çeşitliliğin, bir bilinçli alan altında birleşmiş olduğunu garantiler. Bu, dizdeki ağrı ya da balın tadı gibi bedensel his-

---

6 Bkz. P. Stoerig ve A. Cowey, "Blindsight and Conscious Vision", *Brain,* 1992, s. 147-156.

leri, bir gülü görmek gibi görsel algıları ve ayrıca, matematik sorunları ya da bir sonraki seçim üzerine düşünmeyi de içerecektir. Yalnızca oturup "2+3=5" olgusu üzerine bilinçli bir şekilde düşünmek gibi olan ya da düşünüyormuş gibi hissettiren bir şey mevcut mudur? Eğer mevcutsa, bu şey, oturup bir sonraki seçimleri Demokratların kazanacağını düşünüyormuş gibi hissettiren şeyden nasıl ayrılır? Gerçekten de bunları düşünüyormuş gibi hissettiren yahut öyle olan bir şey vardır ve açıkça, bunlar arasındaki fark, bilinçli bir şekilde "2+3=5"i düşünmek ile bilinçli bir şekilde "Bir sonraki seçimi Demokratlar kazanacak" şeklinde düşünmek arasındaki farktır.

Biyolojik açıdan bilinç meselesini çözdüğümüzde, bilincin gizemi aşamalı olarak ortadan kalkacaktır. Beynin nasıl çalıştığını anlama hususundaki gizem metafizik bir engel olmaktan çok, yalnızca şu anda işlerin nasıl gerçekleştiğini bilmememizden kaynaklanır. Ancak beynin bilinci ortaya çıkarmak için nasıl çalışıyor *olabileceği* hakkında dahi net bir fikrimiz yok. Böyle bir şeyin nasıl mümkün olabileceğini bile anlayamıyoruz. Ne var ki daha önce de benzer durumlara düşmüştük. Yüzyıl önce saf maddenin nasıl olup da *canlı* hale geldiği bir gizem gibi görünüyordu. Ve hayatın mekanik, kimyasal açıklamalarını araştıran mekanistlerle böyle bir açıklamanın imkânsız olduğunu, herhangi bir açıklamanın bize hayatı mümkün kılan ve saf kimyasal süreçlerin dışında kalan bir "hayati güç" bir "hayati canlılık" varsayımında bulunması gerektiğini düşünen vitalistler arasındaki tartışmalar şiddetlenmişti. Bugün bizim için bile, büyük büyük atalarımızın neslinin bu konuda tecrübe etmiş olduğu güçlük hissinden kurtulmak zordur. Gizem, sadece tartışmayı mekanistler kazandığı vitalistler kaybettiği için çözülmüş değildir, bunun ötesinde, mevcut mekanizmalara dair tasavvurumuz da bir hayli zenginleşmiştir. Beyin söz konusu olduğunda da durum oldukça benzerdir. Gizem hissi bilincin biyolojisini, hayatın biyolojisine dair bugünkü anlayışımızın derinliğiyle kavradığımız takdirde ortadan kalkacaktır.

2

Bu kitabı sonlandırmanın en iyi yolunun, bu konularla ilişkili tartışmalarda ve yazışmalarda sık sık ortaya çıkıp duran soruları incelemek ve onlara cevaplar sunmak olduğuna inanıyorum. Gelin bunlar içinde en yaygın olan soruyla başlayalım:

1. *Bir makinenin bilinçli olması mümkün müdür?*

Bu sorunun cevabını yüz yıldır biliyoruz. Beyin bir makinedir. *Bilinçli bir makinedir.* Beyin kalp ve karaciğer kadar biyolojik bir makinedir. Dolayısıyla elbette ki bazı makineler düşünebilir ve bilinçli olabilir. Örneğin sizin ve benim beyinlerimiz.

2. *Peki ya yapay makineler, arabalar ve bilgisayarlar gibi fabrikada üretebildiğiniz türden makineler? Onlar da bilinçli olabilir mi?*

Bu soruyu kalp hakkında sormadığınıza dikkatlerinizi çekerim. Hâlihazırda fabrikalarda yapay kalpler üretiyoruz. Bu durum neden beyinler için bir farklılık arz etsin ki? Yapay bir kalbin mevcudiyetinde ne kadar *mantıksal* engel varsa, yapay bir beyin söz konusu olduğunda da durum aynı şekildedir, daha fazlası değil. Elbette burada söz konusu olan güçlükler muazzamdır, fakat bunlar mantıksal ya da felsefi değil tatbikî ve bilimsel güçlüklerdir. Gerçek beyinlerin bu işi nasıl gerçekleştirdiğini bilmediğimiz için, bilinci ortaya çıkarabilecek yapay bir beyin üretme hususunda da zayıf bir konumdayız. Bu husustaki en önemli konudan daha evvel de bahsetmiştim. Beynin, bu işi nedensel olarak gerçekleştirmesi –yani aslında içsel süreçlerin bilinçli durumlar içerisinde bulunmalarını mümkün kılması– nedeniyle, herhangi başka bir sistem de en azından beynin bunu yapabilmesini mümkün kılan eşik nedensel güçlere eşdeğer nedensel güçlere sahip olmalıdır. Ben bu iddiayı, beynin bunu nedensel olarak yaptığı gerçeğinin önemsiz mantıksal bir sonucu olarak ele alıyorum ve "eşik nedensel güçler" demek zorundayım çünkü belki de beyin gereğinden çok daha fazlasına sahip. Böylesi bir durumda, başka bir sistem beynin sahip olduğu *bütün* güçlere sahip olmak zorunda kalmayacak fakat en azından bilinçsizlikten bilince geçişteki eşiği aşabilir durumda olmak zorunda kalacaktır. Ancak, beynin bu işlevi gerçekleştiren belirli nedensel unsurlarından bihaber olmamızdan dolayı, bilinçli bir makine üretmeye nasıl başlayacağımızı bilemiyoruz. Belki de bu nedensel unsur, nöral yapıların biyokimyasal bir özelliğidir. Belki de, Crick'in iddia ettiği gibi, nöronlara ve belirli nöral mimariye ait ateşleme oranlarının bir birleşimidir. Belki de, Penrose'un öne sürdüğü gibi, nöronal seviyenin altındaki unsurların fiziksel özellikleridir. Belki de bu, silikonun veya vakum tüplerin içinde kopyalayabileceğimiz türden bir özelliktir. Bu konuda henüz hiçbir bilgimiz yok. Fakat tekrar etmek gerekirse, ortadaki zorluk metafiziksel ya da mantıksal engellerden değil cehaletimizden kaynaklanıyor.

3. Fakat ben sizin görüşünüzün, 'beyin dokusu bilinç için zorunludur [necessary]' *şeklinde olduğunu düşünmüştüm.*

Hayır, benim görüşüm hiçbir zaman bu olmadı. Doğrusunu söylemek gerekirse ben, bazı beyin süreçlerinin bilince neden olabilmek için *yeterli* [*sufficient*] olduğunu öne sürüyorum. Bu, sadece doğanın nasıl işlediğiyle ilgili bir olgu. Buradan hareketle, basit bir şekilde bunu yapabilecek başka herhangi bir sistemin de en azından eşik nedensel güçlere sahip olması gerektiği sonucu çıkar. Bu, nöral dokuyu gerektirebilir de gerektirmeyebilir de. Böyle olup olmadığını henüz bilmiyoruz. Bu sonucun önemi, örneğin, biçimsel bilgisayar programlarını hariç tutmasıdır. Çünkü onlar, uygulama ortamlarına ilaveten hiçbir nedensel güce sahip değildirler.

4. Öyleyse, neden bilinçle aynı dışsal etkileri üretebilecek bir makine inşa etmekle işe başlamıyoruz? Eğer bilgisayar tarafından yönetilen ve bilinçliymiş gibi davranan bir robot inşa edebilirsek, büyük bir olasılıkla bilinç yaratmış olurduk. Neden olmasın?

Kitap boyunca tekrar tekrar gördüğümüz gibi, bilincin özü içsel, niteliksel, öznel zihinsel süreçlere dayanmasıdır. Bu süreçlerin gözlenebilir dışsal davranışsal etkilerini kopyalayarak, süreçlerin kendisinin de kopyalanmasını garantileyemezsiniz. Bu, bir saat camı yaparak saatinizin içsel mekanizmalarını kopyalamaya çalışmak gibi olacaktır. Saat camı, saatiniz gibi zamanı doğru gösterebilir; fakat onun dışsal davranışının, kol saatinizin içsel yapısını anlamayla bir ilgisi yoktur. Bilinçliymiş gibi davranan bir makine yaparak bilinç yaratmaya çalışmak da aynı şekilde birbiriyle alakasız iki şeydir, çünkü davranışın *bizatihi kendisi*nin meseleyle bir alakası yoktur. Bilinç çalışmaları açısından davranış, yalnızca, kendisini içsel bilinçli süreçlerin bir etkisi veya bir ifadesi olarak ele aldığımız ölçüde önemlidir.

Bu meseleyi tamamıyla açıklığa kavuşturmak için bir örnek verelim. Dışsal uyaranlar, canımızın acımasına ve dolayısıyla acı da acı davranışına neden olur. Şu an, erişilebilir teknolojiyle bile acı uyaranlarına yanıt olarak acı davranışı sergileyen sistemler üretebiliyoruz. Klavyeye yeteri kadar sert vurduğunuz her seferde "Ahh!" sesi çıkaran bir bilgisayar üretebiliriz. Bu bize bilgisayarda ağrı üretmiş olduğumuzu düşünmemiz için bir sebep gösterebilir mi? Tabii ki hayır. Bu mesele tartışmalarda sık sık dile getirilmeye devam ediyor, bu yüzden izninizle tekrar vurgulayayım: *Bilincin ontolojisi söz konusu olduğunda, dışsal davranışın bir önemi yoktur.* Davranış, en iyi ihtimalle, epistemik açıdan önemlidir –diğer insanların bilinçli olduğunu genellikle davranışları sayesinde söyleyebiliriz– fakat epistemik ilişkililik de belirli arkaplan varsayımlarına dayanır. Bu ilişki ise, diğer insanların benimle *nedensel açıdan benzer* olduğu ve benzer nedenlerin benzer etkiler üreteceği varsayımları olmaksızın anlamsızdır. Örneğin, diğer koşullar aynı tutulmak kaydıyla, bir çekiçle başparmağınıza vurduğunuzda, benim hissettiğime benzer türde bir şey hissetmeniz ve benim başparmağıma bir çekiçle vurduğumda davrandığım şekilde davranmanız muhtemeldir. Bu yüzden uyaran girdisi ve davranışsal çıktı arasındaki bağıntıyı gözlemlemiş olmamı temel alarak, sizin acı çektiğinize yönelik bir atıfta bulunurken kendimden oldukça eminim. Altta yatan nedensel mekanizmaların aynı olduğunu öne sürmüş oluyorum.

5. *Pekâlâ, bu beni sormak istediğim başka bir soruya götürüyor. Bilince neden olan beyin süreçlerinden bahsedip duruyorsunuz. Peki nedir bu beyin süreçlerine olan takıntınız? Eğer nöron ateşlemeleri bilince neden olabiliyorsa, neden bilgi* [information] *de bilince neden olmasın? Aslına bakarsanız, nöron ateşlemelerinde bu kadar özel olan şeyin ne olduğunu göstermiş değilsiniz ve bildiğimiz kadarıyla, nöron ateşlemeleri de bilgi içeriyor olabilir.*

"Bilgi", nöron ateşlemelerinde –ve bu açıdan bilinçte– olduğu gibi, gerçek dünyanın gerçek bir fiziksel niteliğine verilmiş bir ad değildir. Bilinçli bir failin zihninde hâlihazırda mevcut olan bilgi hariç tutulursa, bilgi bir gözlemciye bağlıdır. 1. Bölüm'de dünyanın kuvvet ve kütle gibi gözlemciden-bağımsız nitelikleri ile bir kitap ya da para olmak gibi gözlemciye-bağlı nitelikleri arasında yaptığım ayrımı hatırlayın. Bilinçli bir kişinin düşüncelerinin parçaları olan bilgi biçimleri haricinde, bilgi gözlemciye-bağımlıdır. Bilgi, bilgi olarak addedebileceğimiz ya da kullanabileceğimiz herhangi bir şeydir. 'Ağaç halkaları, ağacın yaşıyla ilgili bilgi taşır' şeklinde ders kitaplarında verilen bir örneği ele alalım. Peki ağaç halkalarını bilgilendirici kılan şey nedir? Buradaki tek fiziksel olgu, halkaların sayısı ile ağacın yıllar içindeki yaşı arasında kesin bir eş-değişkenlik [*covariance*] bulunmasıdır. Bu fiziksel olgudan haberdar olan bir kimse, onların birinden bir diğerine ulaşabilir. Fakat, aynı şekilde, ağacın yaşının ağaç kütüğündeki halkaların sayısı hakkında bilgi taşıdığını söylemenizin mümkün olduğuna da dikkatlerinizi çekerim. Bu noktayı kısaca açıklamak gerekirse, bu anlamda "bilgi", ağaç kütükleri veya güneş ışığı ile eşdeğer bir biçimde dünyanın gerçek bir niteliğine verilen ad değildir. Ağaç halkaları ve mevsim döngüsü, dünyanın bizden bağımsız bir şekilde var olan gerçek nitelikleridir; fakat bu anlamda, bu fiziksel niteliklere ek olarak var olan herhangi bir bilgi, tamamen bizimle bağlantılıdır. Sonuç, bilginin, bilincin genel nedeni olamayacağı şeklindedir çünkü bilgi dünyanın –yerçekimi ya da elektromanyetizma gibi– münferit bir nedensel niteliği değildir. Tekrar edecek olursak; bilgi, bilgi olarak kullanabildiğimiz herhangi bir şeydir ve gözlemciye-bağlıdır.

6. *Peki, ya karmaşıklık? Karmaşıklığı dışarda bıraktınız. Neticede, Chalmers'ın da belirttiği gibi, beyin "bir trilyon nöron"a sahiptir, dolayısıyla niçin bir trilyon bağlantıya sahip bir bilgisayar da olmasın? Neden o bilgisayar da bilinçli olamaz?*

Karmaşıklık için bir kriter veya ölçme yolu olmaksızın karmaşıklıktan söz etmek tümüyle anlamsızdır. Örneğin, bir sistemin bağımsız elemanlarını ve onların dizilim örüntülerini sayarak karmaşıklığa ulaşabileceğimiz bir ölçeğimiz olsun. O zaman dahi bu karmaşıklığın bizatihi bilinç sorunuyla herhangi bir ilişkisi olduğu hususu netlik kazanmayacaktır. Eğer yalnızca karmaşık örüntülerden bahsediyorsak, okyanustaki molekül örüntüleri benim beynimdeki herhangi bir nöron örüntüsünden çok daha karmaşıktır. Ya da yine aynı hususta, başparmağımdaki moleküllerin örüntüsü beynimdeki nöronların örüntüsünden çok daha karmaşıktır; çünkü basit bir hesapla, molekül sayısı nöron sayısından oldukça fazladır. Peki, ne yapalım? Yalnızca yüz bin nörona sahip olmalarına rağmen termitlerin de bilinçli olduğu bir gün ortaya çıkabilir –doğrusu, böyle bir varsayımda bulunmak mantık dışı değildir. Kavramamız gereken şey, belirli bir biyolojik süreçtir.

Matematiksel karmaşıklık fikrine başvurmak suretiyle bilinç sorununun çözüleceğini düşünmekteki değişmeyen ısrarımızın, yaptığımız daha derin hataları ortaya çıkardığı kanısındayım. Bilginin bilincin anahtarı olduğu düşüncesindeysek, çok geçmeden termostatların ve hesap makinelerinin "bilgi işleme" yaptığı gerçeğiyle yüzleşiriz. Fakat bunların bilinçli olduğunu düşünmek oldukça aptalca görünmektedir. Dolayısıyla, bilginin gözlemciye-bağlı olduğunu unutarak, termostatlar ile bizim aramızdaki farkın, kendi bilgi işlememizin onlarınkinden çok daha karmaşık olması olduğunu düşünürüz. Eğer termostatlar ve hesap makineleri daha karmaşık olsalardı, onlar da bilinçli olabilirdi! Fakat şimdi de, bilginin anahtar olduğunu düşünme hamlesinin aptallığı, beynin gerçekte ne kadar karmaşık olduğuna kafa yorduğumuz esnada bizi ele geçiren bir tür sersemlik ile suç ortaklığı içinde. İnsan beyninin dünyadaki en karmaşık sistem olduğunun iddia edildiğini, fısıltı şeklinde ve neredeyse saygı içeren biçimlerde duydum. Bu iddiadaki sorun, yanlış olmasından ziyade iddianın yersiz oluşundan kaynaklanır. İnsan beyninin Samanyolu'ndan ya da Amazon ormanından daha karmaşık olduğunun ölçütü nedir? Zengin bir bilincin zengin nöronal kapasiteleri gerektireceğine hiç şüphe yok. Örneğin, insanlar farklı renkleri –kırmızı, mavi, yeşil vs.– görebiliyorsa, deneyimlediğimiz farklı renkleri bilinçli bir şekilde ayırt etmek için insan beyninin de yeterli düzeyde zengin bir yapıya sahip olması gerekecektir. Fakat bilincin saf varlığı hususunda, karmaşıklık tek başına yeterli değildir. Bir milyon –ya da bir trilyon– termostatı karmaşık bir sırada birleştirerek termostatlarda bilinç olasılığını artıramayacaksınız. Bilinç sorununu çözmek için belirli bir mekanizmanın –insan ve hayvan beyninin– nedensel güçlerini anlamaya ihtiyacımız var.

7. *Ama her şey bir tarafa, bilgisayarlarda yapay bir şekilde bilinç yaratmaya doğru gerçekten ilerlemiyor muyuz? Satranç oynayan bil-*

gisayar programı Deep Blue'u düşünün mesela. Nihayetinde, dünya-
daki en iyi satranç oyuncusunu bile yenebilen bir bilgisayar progra-
mına sahibiz. Henüz bilinçli bir bilgisayar yaratmamış olsak dahi,
Deep Blue, insan bilinci açısından kesinlikle çok önemli bir gelişme
değil mi?

3. Bölüm'de de söylediğim gibi, insan bilinci söz konusu olduğu müddetçe, Deep Blue hiçbir önem arz etmez. Uzun bir süreden beridir herhangi bir insan matematikçiyi geçebilen küçük hesap makinelerine sahibiz. Bunun insan bilinciyle ne alakası var? Yok, hem de hiç. Hesap makinelerini, içlerine daha önceden yerleştirmiş olduğumuz aritmetik sorulara doğru cevaplar olarak yorumlayabileceğimiz sembollerürete-cek şekilde tasarladık. Fakat hesap makineleri, sayılar ya da toplama ya da başka bir şey hakkında hiçbir şey bilmez. Aynı şey Deep Blue için de geçerlidir. Deep Blue satranç, hamleler ya da başka bir şey hakkında hiçbir şey bilmez. O, yalnızca anlamsız sembolleri işleyen bir makine-dir. Onun için her şey anlamsız olduğundan, semboller de anlamsızdır. Bizim öncesinde içine yerleştirdiğimiz satranç pozisyonlarını temsil eden sembolleri ve satranç hamlelerini temsil etmek amacıyla makine-nin ürettiği sembolleri yorumlayabiliyoruz. Çünkü makineyi ifa etmesi için tasarladığımız şey, pozisyonlarla ilgili sembollere karşılık gelecek hamlelere dair semboller üretmektir. Aynı şekilde, baledeki pozisyon-ları girdi ve daha fazla koreografiyi de çıktı olarak yorumlayabilirdik. Makine için bunların hepsi aynı şeydir. Öyle ya da böyle başka türden herhangi bir programın da bilinç hususunda anahtar olacağı fikri ha-yalden ibarettir.

Satranç-oynayan bilgisayarların bilinçli olması gerektiği iddiasından daha tuhaf olanı ise, herhangi bir satranç ustasını yenebilen bir progra-mın varlığının insan onuru için bir tehdit olabileceği şeklindeki iddiadır. Bu hataya yönelten cezbedici şeylerin tamamını ortadan kaldırmak için, gerçekte meydana gelenin ne olduğunu düşünelim. Başka bir grup in-san araştırmacı tarafından tasarlanan güçlü elektronikleri kullanan bir grup insan araştırmacı, herhangi bir insan satranç oyuncusunu yenecek satranç hamleleri şeklinde yorumlayabileceğimiz sembolleri üreten bir program tasarladı. Bununla kimin onuru tehdit edilmiş olur ki? Eğer bütün bu Deep Blue'yu inşa etme projesi şempanzeler ya da Marslılar tarafından yapılmış olsaydı, bir rekabetin söz konusu olduğunu belki düşünebilirdim; fakat elektronik düzeneğin kendi başına bir hayatı veya otonomisi yoktur. [Bu düzenek] bizim yarattığımız bir araçtan başka bir şey değildir.

8. *Peki bilgisayarın bilinçli olmadığından nasıl bu kadar emin olabiliyorsunuz? Oldukça zekice davranıyor. Bu konudaki ısrarınız dogmatizm gibi görünüyor. Bilinçli olmadığı yönünde bir kanıtınız var mı?*

Asıl noktayı kaçırıyorsunuz. Ben bu sandalyenin bilinçli olmadığını kanıtlayamam. Eğer bir mucizeyle bütün sandalyeler aniden bilinçli hale gelseydi, onu çürütebilecek herhangi bir argüman bulunmazdı. Benzer şekilde, ben bilgisayarların bilinçli olmadığına dair bir kanıt da öne sürmüyorum. Tekrar söylüyorum, eğer bir mucizeyle tüm Macintoshlar aniden bilinçli hale gelseydi bu olasılığı çürütemezdim. Ben daha çok hesaplamaya dayalı işlemlerin –yani kendi başına biçimsel sembol işlemelerinin– bilincin varlığını garantilemek için yeterli olmadığını bir kanıt olarak öne sürdüm. Kanıt, sembol işlemelerinin soyut sentaktik terimler üzerinden tanımlandığı ve sentaksın kendi başına herhangi bir zihinsel içerik –bilinçli olsun ya da olmasın– taşımadığı şeklindeydi. Dahası, soyut semboller bilinci ortaya çıkaracak nedensel güçlere de sahip değildir, çünkü onların herhangi bir nedensel gücü yoktur. Mevcut bütün nedensel güçler, uygulanan ortamın kendisinde bulunur. Bir programın uygulandığı belirli bir ortam –örneğin benim beynim– bilinci meydana getirecek nedensel güçlere bağımsız bir şekilde sahip olabilir. Fakat programın işleyişi –programın tanımı tümüyle biçimsel olduğu ve böylece herhangi bir ortamda uygulanmasına izin verdiği için– herhangi bir uygulama ortamından tamamen bağımsız olarak tanımlanmalıdır. Programı taşımaya yetecek düzeyde zengin ve kararlı herhangi bir sistem –yüksek taburelerde oturan yeşil göz-siperli adamlardan vakum tüplere veya silikon çiplere kadar– uygulama ortamı olabilir. Çince Odası Argümanı'nda bunların hepsi gösterilmişti.

9. *Fakat felsefeniz en nihayetinde sadece maddeciliğin bir başka türü gibi görünüyor. Bütün bu "biyolojik doğalcılık" hakkındaki muhabbet tebdil-i kıyafet gezen eski moda bir maddeciliği andırıyor.*

Maddecilik, ikiciliği reddetmenin, "maddi dünya"nın geri kalanından ayrı ve metafiziksel olarak farklı "zihinsel" şeyler veya nitelikler bulunduğunu inkâr etmenin bir yolu olarak evirilmiştir. İkiciliği sahiden de reddediyorum; fakat maddeciler genellikle bilincin, gerçek dünyanın gerçek ve indirgenemez bir parçası olduğunu da inkâr etmek istiyorlar. Onlar, bilincin "... –den başka bir şey" olmadığı iddiasında bulunurlar ve ardından da, üç noktayla ifade edilen o boşluğu doldurmak için kendi favori adaylarını seçerler: davranış, beynin nörokimyasal durumları, herhangi bir sistemin işlevsel durumları, bilgisayar programları vs. Ben ise, maddeciliği bu açıdan reddediyorum. Bilinç, gerçek dünyanın gerçek bir parçasıdır ve ne başka bir şey uğruna yok edilebilir ne de başka bir şeye indirgenebilir. Dolayısıyla ben, "maddecilik" ve "ikicilik"in kelime dağarcığını kullanışlı bulmuyorum. Sorunlarımızın çoğunun bu kelime dağarcığını kullanmaktan kaynaklandığını ve bu dağarcığın, bilinç sorununu çözmeye giden yola işaret edemediğini düşünüyorum. Olguları, bu eskimiş kelime dağarcığını kullanmadan da ortaya koymak mümkün ve benim yapmaya çalıştığım şey de tam olarak budur.

10. *Pekâlâ, diyelim ki bu dağarcıktan hoşlanmıyorsunuz. Ama ben şimdi de sizin görüşünüz ile nitelik ikiciliği arasında bir fark göremiyorum. Siz bilincin "indirgenemez" olduğunu söylüyorsunuz. Peki nitelik ikiciliği, bilincin maddi niteliklere indirgenemeyen bir nitelik olduğu görüşü değildir de nedir? Yani, sanki sizin görüşünüz, dünyada indirgenemez şekilde iki farklı türden niteliğin –bilinç ve onun dışında kalan her şey– var olduğu fikrinden ibaretmiş gibi görünüyor. Siz bu görüşü istediğiniz gibi adlandırabilirsiniz; fakat bence bu görüş, nitelik ikiciliğidir.*

Dünyada elektromanyetik, ekonomik, gastronomik, estetik, atletik, politik, jeolojik, tarihsel ve matematiksel gibi pek çok gerçek varlık mevcuttur. Eğer görüşüm nitelik ikiciliği ise, o zaman aslında nitelik çoğulculuğu [*property pluralism*] ya da nitelik n-ciliği [*property n-ism*] olarak adlandırılmalıdır. Tabii burada n değerinin ucu açıktır. Buradaki asıl önemli ayırım, zihinsel ve fiziksel olan arasında yahut zihin ve beden arasında olmaktan ziyade güç, kütle, yerçekimi gibi dünyanın gözlemcilerden bağımsız bir şekilde var olan gerçek özellikleri ile para, nitelik, evlilik ve hükümet gibi gözlemcilere bağlı olan özellikleri arasındadır.

Bütün gözlemciye-bağlı özelliklerin varoluşu bilince bağlıdır, fakat bilincin kendisi gözlemciye-bağlı değildir. Asıl mesele tam da budur. Bilinç, sizin ve benim gibi belirli biyolojik sistemlerin gerçek ve içsel bir niteliğidir.

Öyleyse neden sıvılık ve katılık gibi diğer gözlemciden-bağımsız nitelikler indirgenebilir olduğu hâlde bilinç indirgenemezdir? Örneğin, neden katılığı moleküler davranışa indirgediğimiz şekilde bilinci de nöronların davranışına indirgeyemiyoruz? Bunu kısaca şu şekilde cevaplayabiliriz: Bilinç, birinci-şahıs ontolojisine yahut öznel bir ontolojiye sahiptir ve dolayısıyla üçüncü-şahıs yahut nesnel bir ontolojisi olan herhangi bir şeye indirgenemez. Eğer bunlardan ilkini diğerine indirgemeye yahut ilkini diğerinin lehine elemeye çalışırsanız, bir şeyi dışarıda bırakmış olursunuz. Bilincin birinci-şahıs ontolojisine sahip olduğunu söylemekle şunu kastediyorum: Biyolojik beyinler deneyimleri üretmek üzere dikkate değer bir kapasiteye sahiptir ve bu deneyimler yalnızca bir insan ya da hayvan fail tarafından hissedildiklerinde var olurlar. Nasıl ki üçüncü-şahıs fenomenlerini öznel deneyimlere indirgeyemiyorsanız, yine aynı sebepten ötürü birinci-şahıs öznel deneyimlerini de üçüncü-şahıs fenomenlere indirgeyemezsiniz. Ne nöron ateşlemelerini hislere ne de hisleri nöron ateşlemelerine indirgeyebilirsiniz. Çünkü her iki durumda da söz konusu olan nesnelliği ya da öznelliği dışarıda bırakmış olacaksınız.

"İndirgeme", hakikaten oldukça muğlak bir kavramdır ve çok farklı anlamlara sahiptir.[7] Bu anlamlardan birine göre, bilinçli durumlar beyin süreçlerine indirgenebilir. Bütün bilinçli durumlarınız beyin süreçleri tarafından nedensel olarak açıklanır; dolayısıyla, bilincin beyin süreçlerine *nedensel* bir indirgemesinin yapılması mümkündür. Fakat maddecilerin arzuladığı indirgeme türü —söz konusu fenomenin gerçekte var olmadığını, onun sadece bir yanılsama olduğunu belirten— *elemeci* bir indirgemedir. 2. Bölüm'de belirttiğim nedenlerden ötürü, bu tür bir indirgeme bilince uygulanamaz. Elemeci indirgemeler, gerçeklik ve görünüş arasında bir ayrım gerektirir. Örneğin, güneş batıyormuş gibi görünür fakat gerçek olan dünyanın dönüyor olmasıdır. Bu hamleyi bi-

---

7 "İndirgeme"nin yarım düzine farklı anlamıyla ilgili bir tartışma için bkz. *The Rediscovery of the Mind*, 5. Bölüm.

linç için yapamazsınız, çünkü bilincin söz konusu olduğu yerde gerçeklik görünüşün bizzat kendisidir. Eğer bilinçli bir şekilde bana ben bilinçliymişim gibi görünüyorsa, o zaman bilinçliyimdir. Bu, bilincin ontolojisinin birinci-şahsa dayalı ya da öznel olduğunu söylemenin yalnızca başka bir yoludur.

Kendinize daima, dünyanın aslında nasıl işlediğiyle ilgili ne bilgimizi sorun. Başka bir şekilde olduğu da ortaya çıkabilirdi fakat ona dair mevcut bilgimiz şöyle: Evren, tümüyle kuvvet alanlarındaki parçacıklara dayanmaktadır. Bu parçacıklar sistemleri oluşturacak şekilde bir araya gelirler. Bunlardan bazıları galaksiler, dağlar, moleküller ve bebekler gibi doğal sistemlerdir. Bazıları, ulus devletler ve futbol takımları gibi sosyal yaratımlardır. Doğal sistemler arasından bazıları, yaşayan organik sistemlerdir. Karbon bazlı moleküller ve yüksek dozda azot, oksijen ve hidrojen içerirler. Bunların hepsi bu yeryüzünde gerçekleşen biyolojik evrimin birer sonucudur. Bu sistemlerin çok az bir kısmında ise, bilinci ortaya çıkarıp sürdürebilecek sinir sistemleri evrilmiştir. Bilince, sinir sistemindeki mikro-unsurların davranışları neden olur [*caused by*] ve bilinç, bu sinir sistemlerine ait yapıların bünyesinde gerçekleşir [*realized in*]. Birinci-şahıs ontolojisine sahip olduğu için bilinç, genel anlamda diğer biyolojik niteliklerde olduğu gibi indirgenebilir değildir.

Bu, bilincin ancak ve ancak bu şekilde deneyimlendiğinde var olduğu anlamına gelir. Büyüme, sindirim ya da fotosentez gibi diğer nitelikler söz konusu olduğunda, bizim o niteliğe dair deneyimimiz ile o niteliğin kendisi arasında bir ayrım yapılabilir. Bu ihtimal, diğer niteliklerin indirgenmesini mümkün kılar. Fakat daha en başta, bilinç kavramına sahip olmanın asıl amacını yitirmeden, bilinç için böyle bir indirgeme yapılamaz. Bilinç ve bilinç deneyimi aynı şeydir. Dolayısıyla bilincin, öyle ya da böyle, metafiziksel olarak sıradan fiziksel dünyanın bir parçası olmadığını iddia etmeden de bilincin indirgenemezliğini kabul edebiliriz —doğrusunu söylemek gerekirse, kabul de etmeliyiz. Kısacası, ikiciliği kabul etmeksizin de bilincin indirgenemezliğini kabul edebiliriz ve bunu kabul etmek, bilincin gizemiyle ilgili yürütülen tartışmaların çoğunu anlaşılmaz hale getiren yanlış anlamalardan azade bir şekilde bu gizemi keşfe çıkmamızı da mümkün kılacaktır.

ŞEKİL LİSTESİ

Şekil 1 (s. 29)   Francis Crick, *The Astonishing Hypothesis: The Scientific Search for the Soul* (Scribner, 1994), Alan D. Iselin'in David Hubel ve Torsten Wiesen'deki bir illüstrasyondan değiştirdiği haliyle, "Brain mechanisms of vision", *Scientific American* (Eylül 1979). Francis Crick'ın izniyle yeniden basıldı.

Şekil 2 ve 3 (s. 30, 31)   Arthur Guyton, *Basic Human Neurophysiology* (W. B. Saunders Company, 1981). Yayıncının izniyle kullanılmıştır.

Şekil 4a ve 4b (s. 72)   Roger Penrose, *Shadows of the Mind* (Oxford University Press, 1994). Oxford Üniversitesi Yayınları'nın izniyle kullanılmıştır.

Şekil 5 (s. 85)   Simon ve Schuster'ın bir şubesi olan Scribner'ın izniyle yeniden basıldı. Francis Crick, *The Astonishing Hypothesis: The Scientific Search for the Soul*, Copyright © 1994, Francis H. C. Crick ve Odile Crick Revocable Trust.

Dizin

BEYNİMİZLE NE YAPMALIYIZ?

Catherine Malabou

Tercüme **Selim Karlıtekin**

ISBN 978-605-9125-44-4

104 sayfa

Bugün birçok düşünür, çözülmeyi bekleyen en büyük gizemin beyin ve işleyişi olduğu konusunda hemfikir. Genetik bir belirlenime sahip olsa da içerdiği sinaptik organizasyonu sayesinde beyin, dünyanın değişen durumlarına karşılık gelecek şekilde kendi yapı ve işleyişini dönüştürebilen plastik bir karakter taşır.

Malabou, küçük hacmine rağmen zengin bir içeriğe sahip olan *Beynimizle Ne Yapmalıyız?* adlı bu eserde, plastikiyet kavramını temel alarak nörobilimsel çalışmaların Hegelci bir okumasını yapıyor. Böylece beynin işleyişi hakkındaki görüşler ile devrin yönetim ve denetim anlayışları arasında ufuk açıcı güçlü bağlantılar kuruyor. Felsefe, nörobilim, psikanaliz ve siyaset bilimi gibi birbirinden farklı disiplinleri harmanlayan bir bakış açısıyla kaleme alınan kitap, beyne dair söylem ya da modellerin yaşanılan devrin sosyal, siyasal ve ekonomik yapılarıyla nasıl sıkı bir ilişkiye sahip olduğunu gözler önüne seriyor.

Yazarın kendi ifadesiyle, felsefeyi içinde bulunduğu sorumsuz uyuşukluktan kurtarma çabası olarak da okunabilecek bu kitap, yeni sinaptik bağlantılar kuracağı beyinleri bekliyor!

BİLİNÇ
Öznelliğin Bilimi

Antti Revonsuo

Tercüme **Selim Değirmenci**

ISBN 978-605-9125-22-2

469 sayfa

Bilincin araştırılması, bilim camiasının henüz üstesinden gelemediği en büyük meydan okumalardan biri olarak kabul edilir. Bu kitap, konuyla ilgili anlayışımıza ışık tutmayı vaat eden yeni bilinç bilimine etkileyici bir giriş sağlıyor.

Bilinç: Öznelliğin Bilimi, çağdaş bilimsel bilinç araştırmalarındaki temel yaklaşımların tümünü kapsadığı gibi alan için gerekli tarihi, felsefi ve kavramsal arkaplanı da veriyor. Bunun yanı sıra nöropsikoloji, kognitif nörobilim, beyin görüntüleme ve rüya, hipnoz, meditasyon, beden-dışı deneyim çalışmalarından elde edilen güncel bilimsel bulgular ve teoriler sunuyor. Revonsuo, mevcut temel felsefi ve bilimsel bilinç teorilerini bütüncül bir tarzda inceliyor ve alanda gerçekleşecek gelişmeler için en fazla umut vaat eden alanları belirliyor.

Bilinç: Öznelliğin Bilimi, zorlu bilinç bilimi alanına ilgi duyan herkes için, özellikle de psikoloji, felsefe, biliş, nörobilim ve bunlarla bağlantılı alanlarda okuyan lisans öğrencileri için, okunması kolay ve güncel bir giriş sunuyor.